Veinte cuentos tradicionales de hadas y de magia

Veinte cuentos tradicionales de hadas y de magia

ISBN:9798848200669

Textos
B. Tortoise
Ilustraciones
G. Rainbow

RAINBOW & TORTOISE BOOKS
Visita nuestra web: rtb.4rt.eu

Veinte cuentos tradicionales de hadas y de magia

Rainbow & Tortoise

Índice

Prólogo

Los cuentos de hadas son atemporales y traspasan las diferentes culturas y épocas con sus tramas, motivos y personajes: príncipes y princesas, hechiceros, ogros, dragones, llaves, espejos, anillos mágicos, animales parlantes, tesoros escondidos. Estas narraciones se han transmitido de generación en generación, transformándose y dando lugar a innumerables versiones.

La compilación que aquí presenta Rainbow & Tortoise reúne una serie de adaptaciones de cuentos tomados de diferentes fuentes: relatos tradicionales europeos, mitologías china y japonesa, libros clásicos como *Calila y Dimna* o *Las mil y una noches*, narraciones como las de Hans Christian Anderssen o las compiladas por Charles Perrault o los Hermanos Grimm.

Los cuentos de hadas y de magia nos permiten abandonar por un breve lapso la normalidad de nuestra vida cotidiana y dar paso a lo fantástico y lo mágico. Las leyes naturales ya no se aplican en estos mundos de fantasía que juntan lo maravilloso, lo sorprendente, lo extraño y, a veces también, la perplejidad y el miedo.

Fuente de sabiduría ancestral, su simbología y sus enseñanzas han sobrevivido a lo largo de los siglos enfrentando tanto a los niños, como también a los adultos, con problemáticas difíciles de resolver como rivalidades, temores, situaciones de maltrato o de acoso. A veces, suelen presentar episodios injustos o crueles. Sin embargo, a partir de las peripecias de los personajes, el niño tiene un acercamiento a las contrariedades de la vida adulta, entreviendo diferentes posibles formas de solucionar problemas y sobrevivir a situaciones extremas.

El rey sapo

Había una vez, hace muchos años, un rey llamado Alberich que vivía en un castillo rodeado de bosques. Era viudo y había tenido cinco hijas mujeres. Las cuatro mayores se habían casado cada una con un príncipe de un país lejano, y ya no vivían con él. Solo quedaba la pequeña, que era aún muy joven. Se llamaba Abril y era hermosa como el sol, pero bastante vanidosa y caprichosa.

La princesa gustaba de ir todos los días a jugar en lo profundo del bosque. Se pasaba las horas jugando junto a un pozo de profundas aguas que había en uno de los claros, entre los árboles. Muchas veces, llevaba consigo una bola de oro macizo que le había regalado una de sus hermanas y que había mandado traer desde la zona del río Tambapanni, al sur de la India. Abril jugaba con la bola, lanzándola por los aires y luego recogiéndola antes de que cayera al suelo. Pero sucedió que una de las veces, la joven lanzó la bola al aire y luego no pudo atajarla. Tanta mala suerte tuvo, que ésta cayó al agua y se perdió en sus profundidades.

La princesa se sentó junto al pozo y comenzó a llorar desconsoladamente. Llevaba llorando un largo rato cuando, de pronto, escuchó una voz que le decía:

—¿Por qué lloras, princesa?

Ella levantó la vista, pero no pudo ver a nadie, así que siguió llorando.

De nuevo escuchó:

—¿Por qué estás tan triste?

Levantó nuevamente la mirada y pudo ver a un pequeño y feo sapo lleno de verrugas que la observaba desde el borde del pozo. Era tan feo que la princesa casi no quería mirarlo. De todas formas, le pareció de mala educación no contestarle, así que dijo:

—Lloro porque mi bola de oro se ha caído en el pozo y no hay manera de que pueda recuperarla. Mi padre me regañará mucho cuando se entere y, sin duda, mi hermana se enojará muchísimo conmigo.

—Por favor, no llores más. Yo puedo ayudarte. No me costaría nada sumergirme en el agua y traerte de nuevo la bola de oro.

La cara de la joven se iluminó de alegría.

—¿De verdad harías eso por mí?— le preguntó al sapo.

—Claro que sí, mi princesa. Sin embargo, te pediré algo a cambio— contestó el batracio, mirándola con sus ojos saltones.

—¡Oh, no hay problema! Mi padre es muy rico y puedes pedirme lo que quieras: joyas, vestidos... si quieres hasta puedo pedirle que te construya una piscina para ti solo.

—No, no me interesan ninguna de esas cosas. A cambio de traerte la bola, lo único que pido es que tú me des un beso.

La princesa se paralizó de horror. Volvió a mirar de reojos al sapo. Era realmente horrible, lleno de pústulas amarillentas que le cubrían todo el lomo. Ni en sueños se le ocurriría besarlo. Sin embargo, pensó en el enojo de su padre y su hermana e ideó rápidamente un plan.

—Claro no hay problema. Tú tráeme la bola de oro. Yo te daré un beso, pero no lo haré hoy sino mañana.

El sapo aceptó de buen grado y, de un salto, se sumergió en las aguas del pozo. A los pocos minutos, salió con la bola de oro entre los labios y se la entregó a la princesa. Apenas tuvo la bola en la mano, la princesa salió corriendo rumbo al castillo sin ni siquiera despedirse del sapo.

Al día siguiente, desde muy temprano, el sapo se dedicó a esperar a la princesa junto al pozo. Pero las horas pasaron y ésta no apareció. Decepcionado, y dado que ya estaba cayendo la noche, decidió dirigirse hasta el palacio. Llegó hasta las escaleras, pero al intentar pasar por la puerta, lo detuvieron los soldados.

— ¡Vengo a ver a la princesa! —dijo el sapo.

Pero los soldados se negaban a dejarlo pasar. El sapo no se iba a quedar callado y empezó a gritar. Justamente estaba en ese momento el rey Alberich asomado a su balcón y vio que, en la puerta de palacio, se estaba produciendo algún tipo de altercado. Mandó a su chambelán a averiguar qué era lo que estaba pasando.

El sapo le explicó al chambelán del rey cómo el día anterior él había recuperado la bola de oro de la princesa y cómo ésta le había prometido que, a cambio de su servicio, ella le daría un beso. Sin embargo, no lo había hecho.

Cuando Alberich se enteró de lo ocurrido, mandó llamar a la princesa de inmediato.

—Hija mía, debes aprender a mantener tus promesas. Uno siempre debe cumplir lo que ha prometido.

—¡Pero padre! ¡Es un sapo muy feo, lleno de verrugas!

—Ninguna excusa es buena para evitar realizar lo pactado.

El rey ordenó que dejaran entrar al sapo en el palacio y que lo condujeran ante ellos.

El chambelán lo tomó en la palma de su mano y lo acercó hasta el rostro de la princesa.

Al tener la repulsiva cara del batracio frente a frente, con sus ojos saltones y su piel llena de verrugas, la princesa tuvo el impulso de huir nuevamente. Pero no podía desobedecer a su padre. Cerró los ojos y le dio un beso al sapo en la mejilla, limpiándose en seguida los labios con el dorso de la mano.

Al abrir nuevamente los ojos, vio que algo le estaba sucediendo al animal. También pudieron verlo el rey y su chambelán, que retrocedieron asombrados.

El sapo estaba sufriendo algún tipo de metamorfosis. Crecía y sus extremidades se estiraban. En unos pocos minutos, el horrible sapo se vio convertido de un apuesto joven, vestido con lujosas prendas de terciopelo y luciendo una pesada corona de oro.

La princesa no podía dar crédito a lo que veía.

El joven hizo una reverencia ante el rey y comenzó a contar lo que le había sucedido:

—Soy el rey Goldmundo, del reino de Aedonor. Hace ya algunos años, me encontraba yo en mi palacio dando una lujosa fiesta para doscientos invitados, cuando tocaron a la puerta. Los sirvientes abrieron y comprobaron que se trataba de una anciana mendiga que pretendía entrar al castillo para refugiarse del frio. Había estado nevando toda la noche y verdaderamente hacía un clima gélido. Los sirvientes le impidieron el paso, pero la anciana insistía en poder entrar. El mayordomo de palacio vino entonces a consultarme qué debían hacer. Yo era en aquel entonces muy frívolo y vanidoso. Estaba muy entretenido atendiendo a mis invitados y no quería que la fiesta se viese interrumpida.

— ¿Cómo osas molestarme a causa de la presencia de una vieja andrajosa? ¿Acaso quieres que se presente ante mis invitados vistiendo sus harapos? — exclamé, ordenando a mi servidumbre que echara de allí inmediatamente a la anciana.

La mujer resultó ser una bruja que, a raíz de lo sucedido, arrojó sobre mí un hechizo. Esa misma noche, una vez que los invitados se hubieron retirado, yo estaba en mi recámara desvistiéndome para acostarme cuando, al pasar junto al espejo, vi a un horrible sapo lleno de pústulas. Estaba por llamar a mi lacayo para que se lo llevara de allí, pero al volver nuevamente mi vista hacia el espejo, comprobé con horror que el sapo no era otro que yo mismo. Entonces, escuché la voz de la hechicera que decía:

—Rey Goldmundo, has sido cruel y engreído y te has dejado engañar por las apariencias. Ahora, te condeno a convertirte en un sapo. Permanecerás bajo esta forma hasta que una bella princesa consienta en darte un beso.

Así he vivido ya por más de cinco años. Pero ahora, gracias al beso de la princesa Abril, me he liberado del hechizo y podré volver a mi reino. Han sido épocas muy duras para mí, pero he aprendido de sobra la lección. Nunca más volveré a ser el hombre vanidoso que era.

Efectivamente, todos recordaban que hacía unos años, el rey Golmundo de Aedonor había desaparecido una noche, luego de una gran fiesta, y nunca más habían sabido de él. De inmediato, el rey Alberich ordenó que partieran unos mensajeros hacia el reino de Aedonor para avisar que su rey se hallaba sano y salvo. Golmundo agradeció las atenciones de Alberich y, además, se atrevió a decir:

—Quisiera, si me lo permitís, mi rey, pediros además la mano de vuestra bella hija, si es que ella es capaz de aceptarme, después de todo lo que ha pasado.

La princesa miró al joven y pensó que era bastante apuesto. La lección que había él aprendido, por otra parte, bien le servía a ella misma. Así que decidió aceptar su propuesta de matrimonio. El rey Alberich los felicitó a ambos y allí mismo comenzaron los preparativos para la boda, que se celebró poco después y a la que asistieron todos los príncipes de Aedonor y las cuatro hermanas de la princesa que venían, cada una de ellas, desde los lejanos países donde gobernaban, trayendo un montón de regalos.

El mago de Toledo

Hace muchos años vivía en la ciudad de Toledo, en España, un mago llamado don Illán que, en esa época, era el que más sabía de libros mágicos, alquimia, conjuros y talismanes. Su fama había llegado hasta todos los rincones de España y muchos eran los que querían convertirse en sus discípulos. Sin embargo, el mago era muy escrupuloso a la hora de elegir a sus alumnos.

Por aquella época también, vivía en Santiago un deán que quería convertirse en mago, así que se dirigió a Toledo para ver si don Illán podía enseñarle el arte de la nigromancia. Al llegar el deán a la casa del mago, éste lo recibió con mucha cortesía. Le dijo que, antes de que le explicara los motivos de su visita, lo invitaba a compartir una suculenta cena.

Don Illán se preocupó porque nada faltara a su huésped. Una vez que la cena hubo terminado y los sirvientes se hubieron retirado, el deán le explicó al mago los motivos por los cuales había decidido acudir a él y le rogó encarecidamente que lo tomara como su discípulo. Don Illán dudaba y no tuvo reparos en así comunicárselo.

—Disculpe mis reparos, pero usted es un deán, es decir que ya ha alcanzado una alta dignidad eclesiástica. Es muy posible que, en su carrera, usted siga alcanzando dignidades aún más altas. En mi experiencia, quienes mucho prosperan, al conseguir lo que desean suelen olvidarse de aquellos que les han hecho favores. Me temo que cuando usted aprenda de mi todas mis artes, se olvide de lo que he hecho por usted y no quiera cumplir con sus promesas.

El deán se mostró falsamente ofendido y le aseguro que nunca olvidaría el favor que le haría el mago al enseñarle su arte, por muy altas que fueran las dignidades que él alcanzara. Don Illán le respondió que si era así, aceptaba enseñarle el arte de la nigromancia.

Luego, lo condujo a través de unos pasillos hasta una recamara apartada en la que había una enorme biblioteca. En el centro de la habitación, había una mesa cubierta de hojas de papel con extrañas inscripciones. A todo esto, las horas habían ido pasando y había llegado el momento de la cena. Don Illán llamó a una de sus criadas y le pidió que preparase unas perdices para la cena.

—Pero no vaya usted a asarlas hasta que yo se lo indique —le remarcó con énfasis.

Una vez que la criada se hubo retirado, el deán cogió un pesado libro de su biblioteca y lo puso sobre la mesa. Estaba por abrirlo cuando irrumpieron en la recámara dos hombres que venían de parte del arzobispo, que era tío del deán, a entregarle a éste una carta. En la carta, el arzobispo le comunicaba que estaba muy enfermo y que fuese a verlo inmediatamente porque deseaba hablar con él antes de morir.

El deán recibió la noticia con gran pesar, pero no tanto por la situación que atravesaba su tío sino porque no quería dejar sus estudios de magia apenas comenzados. Así que optó por, en lugar de ir a ver a su tío, enviarle en respuesta a éste una carta de despedida. De este modo, el deán se instaló en la casa del mago y comenzó con sus estudios.

Cuatro días después, otros dos hombres llegaron a la casa con otra carta para el deán. En ella le comunicaban que su tío el arzobispo había muerto y que estaban buscándole un sucesor. El nombre del deán era el que más sonaba para sucederlo.

Una semana más tarde, llegaron otros dos hombres a la casa. Esta vez se trataba de dos escuderos muy bien vestidos. Al llegar, besaron la mano al deán y le entregaron unas cartas que decían que había sido elegido arzobispo. Al enterarse, don Illán felicitó a su discípulo y le pidió que, ya que Dios le había otorgado tan alta dignidad, le hiciese un favor de colocar en su antiguo puesto de deán a un hijo suyo. Sin embargo, el ahora arzobispo se disculpó. El deanazgo ya lo tenía pensado para entregárselo a un hermano suyo. De todas formas, le prometió al mago que, apenas surgiese la posibilidad de colocar a su hijo en otro puesto, no dudaría en hacerlo.

Escoltados por los escuderos, el nuevo arzobispo y su maestro partieron para Santiago. Allí estuvieron viviendo durante algunos meses y, en los ratos libres que le dejaban sus obligaciones, el arzobispo seguía con las clases de don Illán y sus estudios de nigromancia.

Un día, durante una de las clases, llegaron unos enviados del Papa con una carta para el arzobispo. En ella le anunciaban que lo habían elegido obispo de Tolosa. También le comunicaban que podía dejar el arzobispado a quien considerase oportuno. Al enterarse de esto, don Illán le pidió al nuevo obispo que, ya que anteriormente no lo había favorecido, ahora le concediese a su hijo el cargo de arzobispo. Sin embargo, el obispo se disculpó nuevamente diciendo que el cargo de arzobispo ya se lo tenía prometido a su tío. De todas formas, le dio su palabra de que el próximo cargo vacante sería para el hijo de don Illán.

Así, ambos viajaron a Tolosa y allí estuvieron viviendo dos años. El obispo se dedicaba a sus clases de magia en los ratos libres que le dejaban sus múltiples deberes. Al cabo de esos dos años, llegaron unos nuevos mensajeros del Papa con unas cartas que decían que habían nombrado al obispo de Tolosa como el nuevo cardenal y que, nuevamente, podía dejar su obispado a quien quisiera. Don Illán volvió a reclamar el puesto para su hijo, pero nuevamente el nuevo cardenal le dijo que el puesto ya lo tenía prometido a otro de sus tíos.

Don Illán y su ilustre discípulo llegaron a Roma. Una vez allí, prácticamente todos los días el mago le recordaba al cardenal su promesa de favorecer a su hijo con algún cargo. Pero cada vez, éste se disculpaba y evitaba hacerlo. Los meses siguieron pasando hasta que un día falleció el Papa. El cardenal fue notificado de que había sido elegido para reemplazarlo. Don Illán volvió a dirigirse a su discípulo. Le dijo que ya no cabían más excusas para no cumplir con sus promesas. El nuevo Papa, molesto con la insistencia de don Illán, le dijo que si lo seguía molestándolo, lo iba a acusar de hereje por ejercer la nigromancia.

Al comprobar don Illán que, a pesar de todo lo que había enseñado a su discípulo, éste se negaba sistemáticamente a hacer por él ningún favor, le dijo al Papa que, como ya era la hora de comer, iba a ordenar a la criada que asara las perdices pero que, dadas las circunstancias no iba a invitarlo a la cena.

Al decir esto el mago, el Papa se encontró nuevamente en Toledo siendo deán de Santiago como cuando llegó por primera vez a la casa de don Illán. Todo había sido un encantamiento del mago. Tan grande era su vergüenza que no tenía palabras para disculparse. Don Illán le dijo que bien había podido comprobar lo que de él podía esperarse. Estaba claro que no iba a gastar su tiempo enseñándole a él el arte de la nigromancia.

(Adaptación del cuento "Historia del deán de Santiago y el mago de Toledo", incluido en el Libro de los ejemplos del Conde Lucanor y de su consejero Patronio, escrito entre 1331 y 1335 por el infante Don Juan Manuel)

El hada Melusina

El hada Melusina era la hija del Rey de Albión y del hada Prestina y vivía junto con sus padres en la lejana Escocia. Tenía dos hermanas, Melior y Palestina, que al igual que ella, también eran hadas. Al morir su padre, Melusina, junto con su madre y sus hermanas, se fueron a vivir a la Isla perdida, así llamada porque era casi imposible encontrarla. Incluso a aquellos que alguna vez estado en ella les era imposible regresar.

Cuando Melusina nació, un hada malvada le había echado un maleficio: todas las noches de los sábados se convertiría, de la cintura para abajo, en una serpiente.

Una vez que Melusina y sus hermanas cumplieron los quince años, se les estaba permitido viajar a la tierra de los humanos. Una noche, Melusina se encontraba en el Bosque Negro con sus damas de compañía. Muchas veces se dirigían a ese bosque cercano a la Fuente Encantada. Allí, se bañaban en la fuente, o jugaban a las escondidas o a la gallina ciega a la luz de la Luna. Justamente esa noche, atinó a pasar por allí Raymond, el hijo del Conde de Foret, quien estaba muy triste porque acababa de matar accidentalmente a su tío en un accidente de caza. No pudiendo conciliar el sueño, había salido a galopar con su caballo por el bosque. Así, había llegado él también a la Fuente encantada, encontrándose con las damas. Melusina era tan bella que Raymond se enamoró al instante de ella y, allí mismo, le propuso matrimonio.

Melusina, que también se había enamorado del apuesto joven, aceptó. Pero no sin antes ponerle una condición: él nunca debía intentar verla las noches de los sábados. Si lo hacía, la desgracia caería sobre ellos. Raymond aceptó y los jóvenes se casaron. A la lujosa boda vinieron la madre y las hermanas de Melusina y la familia de Foret por entero, todos vestidos de gran gala.

Los años transcurrieron felices para la joven pareja. Raymond cumplió su promesa y nunca intentó ver lo que Melusina hacía o a dónde iba los sábados por la noche. Desde que se había casado con ella, además, su situación económica había prosperado bastante. Melusina había aportado al matrimonio una importante dote heredada de su padre. Con ella, la pareja había podido construir varios castillos en la región, el uno más hermoso que el otro. Con el paso del tiempo, la pareja tuvo diez hijos varones. La única cosa que opacaba la felicidad de la pareja era que cada uno de sus hijos había nacido con algún tipo de deformidad. Así, por ejemplo, Godofredo, el mayor, poseía un grueso diente de jabalí que le salía de su boca, el segundo tenía el cabello de dos colores diferentes, el tercero tenía rabo, el cuarto tenía orejas de gato y así sucedía con cada uno de ellos.

Un día, llegó a visitarlos al castillo el hermano de Raymond, el Conde de Foret. Raymond lo recibió con todos los honores y mandó a preparar para él una suculenta cena de bienvenida. Era sábado por la noche y, cuando se sentaron a la mesa, el hermano no pudo dejar de ver que Melusina no estaba allí.

—¿Cómo es que tu mujer no ha venido a recibirme? —preguntó el Conde, bastante ofendido.

Raymond intentó disculpar a Melusina y le explicó a su hermano que ella siempre se marchaba los sábados por la noche. El hermano, que seguía enojado, lo tomó a Raymond por un idiota que no sabía controlar a su mujer. ¿Cómo dejaba que ella no estuviera junto a él los sábados por la noche? ¡Vaya a saber a dónde estaba y con quién! El Conde fue aún más lejos, plantando en Raymond la sospechas de que seguramente su mujer lo engañaba y lo había engañado durante todos sus años de matrimonio. Posiblemente ese fuera, además, el motivo de la deformidad de sus hijos. Raymond montó en cólera. En su mente se mezclaban la ira, las sospechas, la vergüenza. En un arranque de celos, dejó la mesa del banquete y se internó en el bosque buscando a su mujer. Caminó y caminó hasta que llegó cerca de la Fuente encantada. Desde detrás de uno arbustos, pudo ver que allí estaba Melusina bañándose, acompañada por dos de sus damas de compañía. Raymond se tranquilizó al ver que ella no lo engañaba con ningún otro hombre y se sintió bastante culpable de haber desconfiado de ella. Sin embargo, también pude ver que, al salir del agua Melusina, esta tenía una horrible cola de serpiente llena de escamas. Pero Raymond, que por nada del mundo quería perder el amor de Melusina, decidió callar el incidente.

La vida en palacio siguió normalmente. Los hijos de la pareja crecieron y, más allá de sus deformidades, se convirtieron en inteligentes jóvenes. Los más grandes incluso tomaron parte valerosamente en las guerras contra los países vecinos. Solo el mayor, Godofredo el del diente, tenía un carácter impredecible y solía montar fácilmente en cólera. Un día, se enojó con su hermano Frimundo, el de las orejas de gato, y tal fue su ira que decidió prenderle fuego a una abadía donde éste se había refugiado. La abadía no tardó en arder, falleciendo todos los que en el interior estaban.

Raymond, loco de dolor ante la muerte de su hijo, increpó a Melusina, culpándola por las acciones de Godofredo:

—¡Fuera de mi vista, serpiente apestosa! ¡Has contaminado a todos nuestros hijos! —le echó en cara.

Melusina, llena de dolor por las palabras de su marido y más aún por el hecho de que él no había cumplido con su palabra, le dijo a Raymond:

—No has respetado tu promesa. Ahora no tengo más remedio que partir.

Llorando a mares, se elevó por los aires. Nunca más volvieron a verla. Raymond, vivió pocos años más, tras los cuales, murió de pena

Los monos y la luciérnaga

Había una vez un grupo de monos que vivía en el bosque. Una noche en la que hacía mucho frío, los monos fueron a ver si encontraban algún fuego para poder calentarse. Sin embargo, no pudieron encontrar ninguno. Lo que sí encontraron fue, a la vera del camino, una pequeña luciérnaga que volaba entre los arbustos. Los monos pensaron que se trataba de una pequeña brasa y la atraparon. Después, se dedicaron a juntar ramas y las pusieron unas sobre otras. Colocaron a la luciérnaga en la parte inferior de las ramas y comenzaron a soplarla.

Desde un árbol cercano, una lechuza observaba la escena. Al ver que, a pesar de no obtener resultados, los monos seguían soplando al animal, la lechuza les dijo:

—No perdáis vuestro tiempo. ¿No veis que eso no es una brasa sino una luciérnaga? Nunca vais a poder obtener fuego de ella.

Los monos ignoraron los comentarios del ave y siguieron soplando al pobre insecto.

La lechuza, al comprobar la testarudez de los monos, volvió a advertirles de que lo que estaban haciendo era en vano. Pero ellos volvieron a ignorarla. Entonces, ella decidió dejar la rama en la que estaba posada y volar hacia los monos para explicarles lo inútil de sus acciones.

Justo en ese momento, pasaba por allí un hombre que, al percatarse de las intenciones de la lechuza, le dijo:

—No intentes ponerle remedio a aquello que nunca tendrá remedio. Te aconsejo que no pierdas tu tiempo con esos monos.

El ave ignoró los consejos del hombre y se acercó a los monos insistiendo en la inutilidad de lo que estaban haciendo.

Molestos por la insistencia de la lechuza, los monos la tiraron al suelo de un manotazo y la mataron.

La lechuza perdió su vida por aconsejarles a los otros de no hacer lo que ella misma estaba haciendo. Es tan inútil buscar hacer fuego soplando a una luciérnaga como convencer de su necedad a alguien necio.

El castillo de Irás y no volverás

Había una vez un joven pescador que era muy pobre. Solo poseía una choza, un viejo bote y una red toda agujereada con la que salía todas las mañanas, muy temprano, a pescar.

Un día, como todos los días, echó su red al agua y con ella pescó un enorme pez. Muy contento con su captura, el joven pensó que con este pez podría comer varios días.

—Por favor, devuélveme al agua — le dijo el pez.

—Lo siento mucho pez, pero debo pescarte porque no tengo ninguna otra cosa para comer —le contestó el joven, apenado.

—Ya que no queda otro remedio, escucha lo que tengo que decirte. —le dijo el pez al joven— Te casarás con una joven mujer que te dará dos hermosos hijos, tan iguales el uno del otro, que ni tú mismo podrás distinguirlos. Ambos serán buenos y valientes y a ambos les gustarán las aventuras. Cuando me mates, mete mi sangre en una botella. Cada vez que la sangre se ponga transparente, será señal de que uno de tus hijos está en peligro. Guarda también dos de mis espinas y cuélgalas al cuello de tus hijos a manera de talismán protector.

El joven regresó a su casa y preparó al pez para cocinarlo. Como este le había indicado, juntó su sangre en una botella y la colocó en el estante superior de su alacena. También guardó dos grandes espinas del esqueleto del pez y luego, asó su carne sobre las brasas de su hogar.

Poco después, el joven se casó con una bella muchacha del pueblo y tuvieron dos hermosos hijos tan parecidos entre sí como dos gotas de agua. Los llamaron Turismundo y Tristán. Como había indicado el pez, el joven ató al cuello de cada uno, con un cordel, una de las espinas.

Los años pasaron y los hijos crecieron. Un día, Turismundo, el mayor, les manifestó a sus padres su voluntad de salir a recorrer el mundo. Aunque tristes por su partida, los padres le dieron la bendición y el joven partió a la aventura.

Turismundo se despidió de su hermano y, recordando lo que una vez le había contado su padre acerca del pez que había pescado, le dijo:

—Querido hermano, mira la botella que está allí, arriba de la alacena, todos los días. Cuando veas que, en lugar de rojo, el líquido se ha vuelto transparente, sabrás que estoy en problemas.

El joven caminó y caminó durante días, llegando a lugares que le eran por completo desconocidos. Una noche, cansado de caminar, se preparaba para dormir cuando vio, a lo lejos, las luces de unas casas. Justo pasaban por allí unos leñadores.

—Disculpad, buenos hombres. ¿Sabéis qué pueblo es aquel cuyas luces se ven desde aquí? — les preguntó.

—Es el pueblo de Irás y no volverás —contestaron los hombres.

Le contaron que se trataba de un pueblo muy rico pero que tenía un problema: nadie podía entrar ni salir de él porque, para hacerlo, había que atravesar un bosque donde vivía un monstruo de siete cabezas.

—Todos los años, el monstruo exige que le entreguen a la joven más bella del país como tributo. Este año, precisamente, le ha tocado a la hija del Rey. Éste está muy apesadumbrado y ha prometido dar a su hija en matrimonio a aquel que pueda matar al monstruo— dijeron los hombres.

Turismundo agradeció la información que le habían dado los hombres y decidió partir hacia el bosque inmediatamente y enfrentarse al monstruo.

Llevaba ya caminando varias horas por el denso y húmedo bosque cuando escuchó unos aterrorizantes bramidos. Era el monstruo de las siete cabezas. El valiente joven se dispuso a enfrentarlo blandiendo un cuchillo que siempre llevaba consigo. El monstruo se abalanzó sobre él con tanta mala suerte para el joven que el cuchillo salió volando, perdiéndose tras un matorral de hojas. El monstruo acercó una de sus horribles cabezas a la suya y abrió sus fauces para devorarlo. El joven pensó que había llegado su fin. De pronto, recordó el talismán que llevaba colgado al cuello. De un tirón, se hizo con la espina de pescado y sin pensar más, se la clavó al monstruo en un ojo y luego, en el otro. El monstruo, loco de dolor, huyó gritando. Como estaba ciego de una cabeza, corría a los tumbos. Se tropezó y cayó montaña abajo muriendo al chocar con una piedra. Turismundo bajó la montaña y, una vez junto al monstruo, decidió cortar sus siete lenguas para llevárselas al rey como prueba de que había matado al animal y poder así casarse con la princesa.

El joven se dirigió al castillo del rey. Allí todos estaban muy apesadumbrados porque era el día en que la princesa debía partir hacia el bosque para ser entregada al monstruo. Turismundo pidió hablar con el rey y, una vez ante él, le mostró las siete lenguas del monstruo que llevaba en su bolso como prueba de que había logrado matarlo. El rey no cabía en sí de alegría. Inmediatamente hizo traer a la princesa, que también estaba loca de contenta y ahí mismo se hicieron los preparativos para la boda.

La fiesta fue suntuosa y duró varios días. La noche en que terminaron los festejos, el joven se asomó al balcón de los lujosos aposentos en donde los habían instalado. Desde allí podía ver el bosque. También podía ver los campos labrados. Más allá de los campos, podía ver una luz brillante que se recortaba contra la oscuridad del cielo.

—¿Qué es esa luz que brilla en la oscuridad, allí detrás del bosque? —le preguntó a la princesa.

—Es el Castillo de Irás y no volverás. Allí vive una hechicera malvada que tiene atemorizado a todo el reino con sus hechizos. Mi padre ha prometido regalar el castillo, junto con sus tierras, a aquel que pueda deshacerse de la pérfida bruja, pero nadie de los que allí se ha dirigido a vuelto jamás.— contestó la joven.

Turismundo no podía con su espíritu aventurero, así que espero a que la joven se durmiera y esa misma noche partió rumbo al castillo.

Cruzó el campo, cruzó el bosque y llegó ante las pesadas puertas de hierro de la fortaleza. Golpeó con el puño y la hechicera, que en realidad tenía el aspecto de una amable anciana, salió a recibirlo amablemente. Le ofreció entrar al castillo, invitándolo a comer con ella. Casualmente la mesa estaba recién puesta y ella se preparaba para cenar. El joven, que ya comenzaba a tener hambre después de tanto caminar, no dudó en seguir a la anciana dentro del castillo. Pero apenas cruzó la puerta, quedó convertido en una estatua de piedra.

En ese mismo momento, muy lejos de allí, Tristán, el hermano del joven, miró, como todos los días, la botella con la sangre del pez. Esta vez, el agua no estaba roja como todos los días, sino que estaba transparente. Al instante, comprendió que su hermano estaba en problemas y decidió salir a buscarlo. Así se lo transmitió a sus padres, quienes le dieron su bendición y le rogaron que tuviese cuidado.

Tristán cruzó las tierras del condado, llegó al bosque en donde había vivido el monstruo de las siete cabezas y así, andando, llegó cerca del palacio del rey. Unos soldados se acercaron a saludarlo.

— ¿A dónde te habías metido? ¡El rey y la princesa no han parado de buscarte! —le dijeron.

El joven, sorprendido, se dejó conducir hasta el palacio.

Una vez allí, la bella princesa se echó a sus brazos.

—¿Dónde estabas? ¡Te he echado mucho de menos! —comentó mientras besaba sus mejillas.

Tristán comprendió en seguida que lo estaban confundiendo con su hermano Turismundo. Eran tan parecidos que siempre los habían confundido, desde que eran niños. Así que optó por no decir nada y aprovechó la situación para ver si podía enterarse de cual había sido la suerte de su hermano.

Esa noche, en los aposentos, Tristán se asomó al balcón. Desde allí podía ver el bosque, los campos labrados y una luz brillante que se recortaba contra la oscuridad del cielo.

—¿Qué es esa luz que brilla en la oscuridad detrás del bosque? —le preguntó a la princesa.

—Es el Castillo de Irás y no volverás. ¿Es que no te acuerdas? La otra noche me hiciste la misma pregunta y te conté acerca de la malvada bruja que en él habita.

Tristán comprendió en seguida que su hermano había partido hacia el castillo. Así que esperó a que la princesa se hubiera dormido, salió de palacio y se dirigió él también hacia allí.

Una vez que hubo llegado frente a la puerta de hierro, golpeó con su puño al igual que había hecho su hermano. La anciana lo recibió amablemente y le ofreció entrar al castillo, invitándolo a comer con ella ya que, casualmente, la mesa estaba recién puesta y ella se preparaba para cenar.

—Le agradezco su invitación. —dijo Tristán— Pero antes de entras a su castillo, ¿quisiera por favor usted decirme qué clase de flores son éstas?

El joven señaló un arbusto cercano en donde crecían unas flores color turquesa.

— ¿Qué flores? —preguntó la mujer sin salir del castillo— Desde aquí no las veo.

—Haga usted el favor de acercarse. ¡Son tan hermosas!

Intrigada, la bruja salió del castillo. Se acercó a Tristán, inclinándose sobre el arbusto. En ese momento, el joven cogió la espina que llevaba colgada al cuello y, de un certero movimiento, la clavó en el cuello de la hechicera, matándola en el acto.

Después entró en el castillo y pudo ver que, el salón principal estaba decorado con unas estatuas de piedra con figuras de hombres jóvenes. Uno de ellos era muy parecido a su hermano Turismundo. Tristán comprendió que todos ellos habían sido encantados por la bruja. Miró a su alrededor. En una hornacina de un rincón de la sala, había una botella dentro de la cual se podía ver un líquido de un color azul intenso. Tristán cogió la botella y derramó unas gotas del líquido sobre cada una de las estatuas de piedra. Al instante, éstas comenzaron a quebrarse, reconvirtiéndose en unos apuestos muchachos.

Al recobrar su forma humana, los muchachos les contaron a Turismundo y a Tristán que todos ellos eran escuderos del rey que habían llegado hasta allí para probar fortuna deshaciéndose de la bruja, pero todos habían sido por ésta engañados.

Una vez repuestos, partieron todos rumbo a palacio. Los habitantes del lugar se sorprendieron al ver llegar a los jóvenes. Turismundo y Tristán le explicaron al rey y a la princesa todo lo que había pasado. Tal como el rey había prometido, le concedió a Tristán el castillo de la bruja junto con todas sus tierras. Éste llamó a sus padres, que se fueron a vivir con él. Turismundo, por su parte, una vez que su suegro murió, se convirtió en el rey del país.

Y desde entonces, todos vivieron felices.

Alí Babá y los cuarenta ladrones

Hace muchos años, en la lejana Persia, vivían dos hermanos llamados Kassim y Alí Babá, que habían quedado huérfanos desde muy pequeños y eran muy pobres. Kassim, el mayor, era muy ambicioso y soñaba con ser rico. Al crecer, se casó con Amira, la joven hija del mercader más rico del pueblo y se fue a vivir con ella a una lujosa casa. Gustaba vestirse con ropas lujosas bordadas en dorado y siempre iba luciendo múltiples anillos. Alí Babá, el pequeño, era muy diferente que Kassim. Era humilde y muy trabajador y se casó con una dulce joven llamada Aisha. Al ser tan trabajador, había juntado algo de plata como para poder comprarse una linda casa.

Alí Babá era leñador. Se levantaba muy temprano por la mañana y se iba a la ladera de la montaña a hachar árboles hasta bien entrada la tarde. Un día, en el que había estado trabajando largas horas, se quedó dormido detrás de unas piedras por el cansancio. Un ruido que venía del valle lo despertó. Se incorporó y pudo ver, desde detrás de las piedras, a un grupo de jinetes que se acercaba por el camino. Alí Babá tuvo cuidado de permanecer oculto para que los hombres no lo vieran. Éstos se bajaron de los caballos y, cargando cada uno de ellos un pesado saco, se acercaron hacia una gran roca en la montaña.

— ¡Ábrete sésamo! — gritó uno de los hombres que llevaba un gran turbante sobre su cabeza.

Para la sorpresa de Alí Babá, la gran roca comenzó a moverse hacia un costado y dejó a la vista una cueva cavada en el interior de la montaña. Los hombres entraron en la cueva con sus sacos. Al rato volvieron a salir sin ellos.

—¡Cierrate Sésamo! – volvió a gritar el hombre del turbante y la roca volvió a cerrar la cueva.

Los jinetes se subieron a sus caballos y, así como habían aparecido, se perdieron de vista galopando por el camino.

Alí Babá se quedó observándolos detrás de las piedras y, cuando vio que desaparecían en el horizonte, salió de su escondite y se acercó a la roca. Tenía mucha curiosidad por saber qué era lo que los hombres llevaban en sus sacos.

—¡Ábrete sésamo! — dijo Alí Babá y la roca de la montaña comenzó a moverse de lado, dejando la entrada de la cueva abierta.

Alí Babá entró. Adentro estaba todo muy oscuro, pero cuando sus ojos se acostumbraron a la oscuridad, pudo ver que el lugar estaba repleto de joyas, de monedas de oro, de ricas telas de seda, de piedras preciosas. El joven estaba maravillado y se dio cuenta de que en realidad los hombres que habían dejado allí los sacos eran unos ladrones que utilizaban la cueva para esconder los tesoros que habían robado. Alí Babá, sin poder resistirse a la tentación, cogió algunas de las monedas de oro y las metió en su morral. Luego salió de la cueva.

—¡Cierrate Sésamo! —dijo y la roca volvió a tapar la entrada abierta en la montaña.

Como ya se había hecho muy tarde, Alí Babá regresó a su casa donde su esposa Aisha lo estaba esperando. Morgana, la joven esclava que trabajaba para ellos, había cocinado una rica cena que estaba lista sobre la mesa.

Una vez que hubieron terminado de comer, Alí Babá vació el morral sobre la mesa, le mostró a Aisha las monedas de oro que había traído y le contó lo que había visto esa tarde. Aisha quedó tan sorprendida como él. Ambos pensaron, sin embargo, en lo peligroso que sería que los hombres se enteraran de que él había descubierto el escondite de sus tesoros.

Al día siguiente, Alí Babá se fue a trabajar como todas las mañanas y ella se quedó sola en la casa. Poco después llegó Amira, la mujer de Kassim que venía a visitarla. Ella no tardó en ver las monedas de oro que estaban sobre la mesa, así que Aisha tuvo que contarle todo lo que había pasado la tarde anterior. Amira, a su vez, fue corriendo a contárselo a Kassim.

Cegado por la ambición, Kassim se dirigió a la montaña y buscó una roca que coincidiera con la descripción que Aisha le había hecho a Amira. Se puso frente a ella y dijo:

—¡Ábrete Sésamo!

La cueva se abrió y Kassim entró en ella. Los tesoros que tenía ante sus ojos superaban por mucho lo que él se había imaginado. Estaba fascinado. Había llevado consigo unas cuantas bolsas vacías. Comenzó a llenarlas de joyas y monedas y perdió la noción del tiempo. De pronto escuchó un ruido. Eran unos caballos que se acercaban. Kassim se asustó. Comprendió que eran los ladrones que venían por sus tesoros y se escondió detrás de una montaña de monedas. Los hombres bajaron de sus caballos con sus sacos, pero, al acercarse a la cueva, se alarmaron de ver que la puerta estaba abierta. Enseguida desenvainaron sus espadas y entraron. Kassim estaba tan asustado que no pudo evitar moverse y las monedas tras las que se escondía hicieron ruido.

—¡Allí, en aquella esquina! – gritó uno de los ladrones.

Lo habían descubierto.

Dos hombres se acercaron a él con sus grandes espadas en alto.

— ¡Esperad! —dijo el hombre del gran turbante, que parecía ser el jefe de todos— No lo matéis todavía. Metámoslo en este cofre y luego, cuando tengamos tiempo, lo interrogaremos para saber quién más sabe de nuestro tesoro.

Los hombres metieron a Kassim adentro de un gran cofre y lo cerraron con candado. Luego descargaron todos sus sacos, salieron de la cueva, subieron a sus caballos y se alejaron por el camino.

Alí Babá y Aisha estaban por comenzar a comer una deliciosa cena que Morgana les había preparado, cuando Amira golpeó la puerta de su casa. Estaba llorando. Ella les contó que Kassim había ido hasta la montaña para ver con sus propios ojos el tesoro que Alí Babá había descubierto, pero había partido a la mañana y aún no había regresado. Muy preocupado por la suerte de su hermano, Alí Babá dejó su cena a medio comer y partió para la montaña. Abrió la puerta de roca con las palabras mágicas y entró.

—¡Kassim! ¡Kassim! —comenzó a llamar.

—¡Aquí! — Alí Babá escuchó una voz débil que parecía provenir de uno de los rincones. Se acercó y vio un gran cofre en una de las esquinas de la cueva.

—¿Kassim? —repitió.

—¡Aquí, dentro del cofre!

Alí Babá, que había llevado con él su hacha por si, llegado el caso, necesitara defenderse de los ladrones, la utilizó para romper el grueso candado que cerraba el cofre. Ayudó a Kassim a salir de él y juntos partieron raudamente para la casa de Alí Babá. Al ver que sus maridos regresaban sanos y salvos, las mujeres saltaron de alegría.

Al día siguiente, los ladrones regresaron a la cueva a dejar más sacos llenos de monedas y joyas. El jefe se acercó al cofre para abrirlo y así poder interrogar a Kassim, pero descubrió que el candado estaba roto y pudo comprobar que Kassim se había escapado.

Los ladrones decidieron ir a buscarlo y concluyeron que, seguramente, vivía en el pueblo que quedaba cerca. Allí se dirigieron dos de ellos para ver si lo encontraban. No pudieron localizarlo, dado que Kassim estaba escondido en la casa de Alí Babá. Los hombres comenzaron a preguntar a los vecinos si habían visto por allí a un joven de vestidos bordados que usaba muchos anillos.

—Sí, es Kassim — dijo un viejo que estaba sentado en un banco de madera junto a la puerta de su casa.

—¿Y dónde vive Kassim? —preguntaron los ladrones.

—No lo encontrarán a Kassim en su casa, sino en la casa de su hermano. Anoche ambos regresaron tarde de la montaña. Se metieron en la casa de Alí Babá y aún no han salido de allí.

—Muchas gracias, buen hombre. ¿Y podría usted señalarnos cuál es la casa de Alí Babá?

—Claro, es aquella de allí.

Los ladrones decidieron marcar la casa. Se acercaron a la puerta que el viejo les había señalado y marcaron en ella una X con un pedazo de yeso. Luego regresaron con su jefe para decidir cuál sería el siguiente paso para dar.

Apenas se habían ido cuando, como era su costumbre a esas horas, Morgana salió de la casa para ir a hacer la compra al mercado. Al ver la puerta de la casa marcada con una X, enseguida sospechó lo que estaba sucediendo. Cogió otro pedazo de yeso y marcó con él una X en todas las puertas de las casas vecinas.

Cuando esa noche los ladrones regresaron al pueblo, se encontraron con que ya no podían saber cuál de las casas era la que ellos habían marcado.

Al día siguiente, el mismo jefe de los ladrones decidió ir al pueblo y preguntar cuál era la casa de Alí Babá y, esta vez, le hizo una marca con su cuchillo. Luego regresó con el resto de los ladrones y les contó que tenía un plan para poder entrar esa noche en la casa de Alí Babá. Se haría pasar por un vendedor de aceite y le pediría que le dejase pasar la noche en su casa. Así, pensaba meter cuarenta tinajas dentro del patio de la casa. En cada una de las tinajas, iría metido uno de los treinta y nueve ladrones restantes. Solo una de las tinajas tendría verdaderamente aceite.

Al caer la noche, alguien tocó a la puerta de Alí Babá. Él abrió y vio a un hombre vestido de comerciante. Detrás de él había un montón de tinajas.

—Buen hombre, soy un mercader al que ha pillado la noche en el camino. Quisiera saber si tú me puedes alojar. ¿Podría meter mis tinajas en tu patio? Me da temor de que, si las dejo aquí fuera, alguien pudiera robármelas —dijo, mientras le mostraba a Alí Babá el interior de una tinaja llena de aceite.

Alí Babá acogió al hombre, lo alojó en su mejor recámara y le ordenó a Morgana que le sirviera una sabrosa cena. Luego, todos se fueron a dormir menos Morgana, que se había quedado levantada terminando de limpiar los trastos de la cena. En eso estaba cuando su lámpara se quedó sin aceite. Entonces se le ocurrió ir al patio y coger un poco de aceite de las tinajas.

Cuando el ladrón dentro de la tinaja sintió que alguien se acercaba y retiraba la tapa del recipiente, preguntó:

— ¿Ya es la hora, jefe?

La lista Morgana enseguida se dio cuenta de la trampa que habían urdido los ladrones.

—Aún no— susurró poniendo voz gruesa de hombre.

Luego, recorrió las tinajas una a una hasta dar con la que verdaderamente llevaba aceite. Calentó el aceite en el fuego de la cocina y luego lo fue vertiendo en cada una de las tinajas, matando así a todos los ladrones que estaban allí escondidos.

A la madrugada, el jefe de los ladrones despertó y fue a llamar a sus cómplices. Pero al levantar las tapas de las tinajas, descubrió que estaban todos muertos. Asustado, salió corriendo de la casa y nunca más se supo de él.

A la mañana siguiente, Morgana le contó a Alí Babá y a Aisha lo que había sucedido. Al ver que había pasado el peligro, él y Kassim se dirigieron a la cueva y se quedaron con todos los tesoros que allí había.

El premio de los ratones

Hace muchos años, en una choza de madera, en las lejanas montañas del norte del Japón, vivía una pareja de ancianos tan pobres que apenas si les alcanzaba para comer. El invierno estaba por comenzar y ya podían sentirse los vientos helados que bajaban de la montaña. El anciano le dijo a la anciana que, al día siguiente, partiría al bosque a fin de juntar leña y poder así encender el fuego del hogar. Por la mañana, muy temprano, la mujer le preparó unos mochis (*) y se los envolvió en un pañuelo para que se los llevara con él y pudiese comer algo cuando le entrara el hambre.

El anciano partió y estuvo juntando leña unas cuantas horas, al cabo de las cuales decidió hacer una pausa y comer algo. Estaba a punto de llevarse un mochi a la boca cuando vio una pequeña ratita junto a su pie. La ratita lo miraba ansiosa. Era evidente que tenía mucha hambre. El anciano se apiadó de ella y le arrojó unas cuantas migas de mochi que la ratita devoró con fruición. Al poco tiempo, sin embargo, vinieron otras ratitas y rodearon al hombre, que terminó por darles toda la comida que llevaba.

A volver por la noche a su casa con la leña que había juntado, el anciano le contó a la mujer lo que había hecho.

---

* *El mochi es un tradicional pastel japonés hecho de pasta de arroz.*

—Has hecho muy bien en apiadarte de las pobres criaturas hambrientas — le dijo la anciana y comenzó a prepararle algo de comida ya que, el hombre no había probado casi bocado en todo el día.

Ambos estaban sentados a la mesa cuando de pronto vieron que, de un agujero en la pared de madera, salía un ratón vestido de paje. El ratón se paró junto al anciano y le hizo una reverencia.

— Estimado anciano, vengo en representación del Rey de los ratones. Ha llegado a nuestros oídos que hoy has alimentado a nuestras hermanas del bosque y queremos recompensarte la buena acción. Te ruego que vengas conmigo y te llevaré ante nuestro rey —dijo el ratón y se preparó para volver a introducirse por el agujero.

—¡Pero el agujero es muy pequeño y yo no podré pasar por él!— comentó preocupado el anciano.

—No te preocupes por eso. Tú cierra los ojos, sujeta mi cola y yo te conduciré a través del agujero.

Así lo hizo el anciano y de pronto se encontró en un luminoso y amplio salón repleto de ratones, todos elegantemente vestidos de cortesanos. En el medio del salón, había un trono y en él había sentado un ratón que vestía una capa roja y que a todas luces era el Rey de los ratones. En su mano llevaba un grueso rollo de papel. El paje condujo al anciano y lo colocó frente al rey. Éste comenzó a desenrollar el papel donde había escrito un largo discurso.

El paje se acercó al anciano y le susurró al oído:

—Lo único que no debes hacer es interrumpir al Rey. Él odia que lo interrumpan.

El Rey de los ratones comenzó a leer su discurso. Era un discurso realmente largo. En él, se remitía a la historia del pueblo de los ratones, a todos los avatares que a lo largo de los siglos habían tenido que afrontar, a sus guerras con otros pueblos ratones, a los desastres naturales a los que habían sobrevivido, a los reiterados ataques que habían sufrido por parte de los gatos de la casa. Luego, hablaba sobre los héroes y heroínas de los ratones y sobre las historias de cada uno de ellos. El ratón continuaba leyendo. Leía y leía. Cuando llegó la parte en la que se refería al anciano, no ahorró en agradecimientos hacia él y comunicó a todos los presentes que, a partir de ese día, el anciano sería nombrado Amigo del pueblo de los ratones. Además, se le entregaría una bolsa llena de monedas de oro en retribución por su buena acción.

El anciano estaba fascinado de estar allí, en ese suntuoso salón tan ricamente adornado. No tenía idea de que allí, junto a su casa, hubiese un sitio como ese. Agradeció calurosamente el honor que se le hacía y saludó a cada uno de los ratones dándoles la mano.

Una vez terminada la ceremonia, cerró nuevamente los ojos, se agarró de la cola del ratón y, pocos segundos después, se hallaba nuevamente en la choza junto a su mujer, trayendo consigo la bolsa con las monedas de oro.

Con esas monedas, los ancianos no volvieron a pasar hambre y pudieron comprar ropa y alimentos. También compraron una nueva cocina donde la anciana preparaba unas deliciosas cenas.

Un día, estaban por cenar cuando alguien tocó a la puerta. Era Hiro, el vecino, que venía a pedirles si no le sobraba un poco de leña para poderle echar a su fuego. Aunque era un vecino bastante desagradable, los ancianos los recibieron en la casa e incluso le ofrecieron que se quedase a cenar con ellos. El hombre aceptó y pronto quedó sorprendido por el nivel de vida de los ancianos.

—¡Yo pensaba que vosotros erais tan pobres como yo! ¿Cómo es posible que estéis comiendo todos estos manjares? —preguntó sin poder disimular su envidia.

El anciano le contó lo que le había sucedido con los ratones e Hiro regresó a su casa pensando cómo hacer para obtener él también una bolsa de monedas de oro.

A la mañana siguiente, le dijo a su mujer:

—Prepárame algo de comida que hoy iré al bosque.

La mujer le preparó unos mochis y allí se fue el hombre en busca de las ratitas hambrientas. Se sentó en el tronco de un árbol y comenzó a comer. Los animales no tardaron en llegar. Hiro comenzó a arrojarles las migas de su comida y ellas pudieron así saciar su hambre.

Esa noche, Hiro y su mujer vieron salir, por un agujero de la pared de madera de la choza, a un ratón vestido de paje.

— Estimado señor, vengo en representación del Rey de los ratones. Ha llegado a nuestros oídos que hoy has alimentado a nuestras hermanas del bosque y queremos recompensarte. Te ruego que vengas conmigo y te llevaré ante nuestro rey —dijo el ratón.

Luego, le indicó a Hiro que cerrara los ojos, sujetara su cola y que lo conduciría a donde el rey lo estaba esperando.

Así lo hizo Hiro y pronto se encontró en el luminoso y espléndido salón frente a un ratón sentado en un trono con un grueso rollo de papel en la mano.

—Lo único que no debes hacer es interrumpir a nuestro rey. Él odia que lo interrumpan — susurró el paje al oído de Hiro.

El rey comenzó a leer su discurso. Leía y leía. Hablaba de la historia del pueblo de los ratones, de los avatares que había afrontado a lo largo de los siglos, a sus guerras, desastres, ataques que habían sufrido. Hiro lo escuchaba impaciente. La verdad es que poco le interesaban los ratones y mucho menos lo que éstos tenían que decir. Lo único que él quería es que le dieran su bolsa con monedas de oro y regresar a su casa.

Pero el rey seguía leyendo. Comenzaba a relatar las historias de los héroes y heroínas del pueblo de los ratones cuando de pronto, Hiro exploto:

—¡Ya basta de cháchara! ¡Dadme de una vez la bolsa con las monedas!

Instantáneamente, la luminosa sala se quedó sin luz. Hiro no podía ver ni a los ratones, ni al trono. Ni siquiera podía encontrar el pequeño agujero por el que había entrado. Comenzó a tantear en la oscuridad. Pero nunca pudo dar con el agujero.

Aladino y la lámpara maravillosa

Había una vez un mago que vivía en el norte de África. Un día, emprendió un largo viaje hasta la China en busca de una lámpara mágica que sabía que estaba escondida en una cueva, debajo de la tierra. Al llegar al lugar, descubrió que la entrada de la cueva estaba tapada por una pesada piedra. Movió la piedra, pero se dio cuenta que la abertura era demasiado angosta como para que él pudiese entrar por ella. Justo por allí pasaba un joven llamado Aladino, que volvía de juntar ramas en el bosque para poder calentar la cabaña donde vivía con su madre. El padre de Aladino había muerto hacía unos años, dejándolo a él y a su madre en la pobreza.

—Oye niño, si haces lo que te digo te daré una moneda de oro.

Aladino aceptó encantado. El mago le indicó que entrara en la cueva y que buscara una vieja lámpara de aceite que había en el interior. También le dijo claramente que no tocara ninguna otra cosa que encontrase dentro: él solo estaba interesado en la lámpara.

Aladino comenzó a descender por la estrecha abertura. En el interior, no le costó mucho trabajo encontrar la lámpara a la que se había referido el hombre. Sin embargo, no pudo dejar de ver también que el lugar estaba lleno de monedas de oro y de piedras preciosas.

Fuera de la cueva, el mago se impacientaba.

—¿La has encontrado ya? ¡Tráeme la lámpara inmediatamente! —ordenó.

Aladino comenzó a trepar por la pared de tierra, pero el hueco era tan estrecho y empinado que le resultaba bastante trabajoso hacerlo.

— Por favor, ayúdeme a salir— le pidió Aladino al hombre.

El mago lo cogió a Aladino por el brazo y comenzó a tirar, con bastante dificultad, hacia arriba.

—Mejor dame primero la lámpara— exigió.

—No —dijo Aladino, cada vez más asustado—. Primero ayúdeme a salir y luego le daré la lámpara.

Así estuvieron discutiendo un largo rato hasta que, finalmente el mago, enojado, soltó el brazo de Aladino, que cayó rodando al piso de la cueva. El hombre volvió a cubrir la entrada con la piedra. Pero al hacerlo, no se dio cuenta de que había perdido su anillo, que era mágico, y que cayó en el piso de tierra, justo al lado de Aladino.

El joven tuvo tiempo de agarrarlo justo antes de quedar sumido en la más completa oscuridad. Pensó que aquel sería su fin. Moriría allí encerrado en esa cueva y su madre nunca más sabría de él ni de cuál había sido su destino. Aterrado, sin saber muy bien qué hacer, Aladino se puso el anillo y comenzó a hacerlo girar nerviosamente alrededor de su dedo.

De repente, una densa nube de humo, luminosa y rosada, comenzó a invadir el lugar. De su interior emergió un genio que saludó al joven con una reverencia.

—Hola, soy el Genio del anillo y aquí estoy, mi señor, para servirte. ¿Qué puedo hacer hoy por ti?

Aladino pensó que estaba alucinando a causa del miedo. Pero el genio repitió su pregunta, así que el joven suplicó:

—Por favor, ¡quiero regresar ahora mismo a mi casa junto a mi madre!

—Claro que sí, mi señor. Te llevaré inmediatamente.

Aladino, que todavía no tenía muy claro si era todo un sueño, ati nó a coger la lámpara de aceite y un puñado de monedas de oro antes de que el genio lo elevara por los aires.

Pocos segundos después, se hallaba en el comedor de su casa, frente a su madre, a la que contó todo lo que le había sucedido. La madre apenas podía creer lo que oía. Sin embargo, sí podía ver las monedas de oro que había traído Aladino y que le permitirían comprar mucha comida en el mercado. Además, esa vieja lámpara de aceite, si se limpiaba un poco, también podría ser vendida a algún hojalatero. La mujer cogió un trapo y comenzó a frotarla para sacarle brillo.

De pronto la habitación fue invadida por una espesa nube, luminosa y de color celeste. De su interior emergió un genio.

—Hola, soy el Genio de la lámpara y aquí estoy para servirte mi señora. ¿Qué puedo hacer hoy por ti?

La madre de Aladino se quedó sin palabras debido a la sorpresa. Aladino sonrió y le dijo a su madre que le pidiera al genio una suculenta cena, ya que hacía varios días que, debido a que eran tan pobres, apenas si probaban bocado. Así lo hizo la mujer y, al instante, una serie de riquísimos manjares fueron desplegados sobre la mesa del comedor.

Así fueron pasando los años. Aladino y su madre llevaban una buena vida, asistidos por el Genio del anillo y el Genio de la lámpara.

Un día, Aladino fue, como todos los viernes, al mercado a comprar comida. Pero ese era un viernes especial porque justo pasaba por allí el Sultán con su comitiva. Detrás de la litera del sultán, iba Halima, su joven hija, en un palanquín dorado, suspendido entre dos camellos con monturas y bridas ricamente adornadas. La joven era tan hermosa que Aladino quedó instantáneamente enamorado de ella.

Desde entonces, no pudo pensar en otra cosa que en cómo hacer para casarse con ella. Pensó y pensó y se le ocurrió que quizás podría presentarse ante el sultán con valiosos obsequios y pedirle la mano de la joven. Aladino le pidió ayuda al Genio de la lámpara.

El genio le preparó una caravana de cuarenta caballos cargados cada uno con un cofre lleno de tesoros. Así, el joven, ricamente vestido con un chaleco bordado en oro, un par de babuchas tachonadas con piedras preciosas y un turbante de seda realizada con pelo de antílopes tibetanos —vestimenta que también había conseguido para él el genio—, se presentó ante el Sultán. Este quedó muy complacido con tan lujosos regalos y accedió a entregarle a Aladino la mano de Halima. Poco después tuvo lugar el casamiento y se realizó una espectacular fiesta de bodas a las que se invitó a todos los habitantes del reino. La fiesta duró cinco días y cinco noches y en ella se sirvieron toda clase de manjares.

Aladino y Halima se fueron a vivir a un palacio que habían mandado construir junto al del Sultán. Allí vivían felices y despreocupados cuando un día volvió a aparecer en la historia el mago malvado. Ese día, Aladino se encontraba fuera de la ciudad visitando los diferentes pueblos del reino junto a su suegro. El mago, disfrazado, empezó a merodear por las afueras del palacio vestido de vendedor ambulante.

—¡Compro lámparas viejas! ¡Compro lámparas viejas y las cambio por lámparas nuevas! – anunciaba.

Una de las sirvientas sabía que había en el palacio una serie de trastos viejos que, sin duda, nadie extrañaría y mediante la venta de los cuales podría hacerse ella unas monedas, así que llamó al vendedor. Entre todos los trastos, estaba la vieja lámpara de Aladino. Más allá de su madre, el joven nunca le había revelado a nadie el secreto de los Genios, ni siquiera a Halima.

Apenas el mago se hizo con la lámpara, el palacio entero fue elevado por los aires y llevado a un lugar lejano, en el medio del África. Halima, que estaba en sus aposentos, no podía entender lo que estaba pasando. Entonces, el mago se presentó ante ella y le dijo que, a partir de ese momento se olvidara para siempre de Aladino pues ahora ella sería su esposa. Desesperada, la joven lloraba y suplicaba en vano. Cuando Aladino regresó esa noche al palacio, se encontró con que en el lugar solo había un terreno baldío

Entonces, decidió recurrir al Genio del anillo, ya que había tomado la costumbre de llevar el anillo siempre puesto. Al aparecer el Genio, Aladino le preguntó qué había pasado con Halima y con el palacio. El genio le contó que se los había llevado el mago malvado.

—¡Tráelos de nuevo inmediatamente! —ordenó.

Pero el genio le explicó que él no podía hacerlo ya que carecía del poder suficiente.

—¡Entonces, llévame a mi hasta ellos!

Al instante, el joven se vio trasladado por los aires hasta la lejana África. Una vez en el palacio, buscó a Halima y la encontró llorando amargamente en su habitación. Los jóvenes se abrazaron y urdieron un plan para deshacerse del mago. Esa noche, Halima echaría un poderoso veneno, que les proporcionaría el Genio del anillo, en la copa de vino del mago.

Así lo hizo y, apenas probó su bebida, el mago cayó al suelo muerto. Los jóvenes buscaron la lámpara mágica y la encontraron en uno de los arcones de la sala, adonde la había guardado el mago. La frotaron y al instante apareció el Genio de la lámpara, en el medio de una nube de humo celeste.

—¡Llévanos de nuevo a la China! —pidieron los jóvenes.

El palacio se elevó en el aire y pocos minutos después, se encontraban de nuevo junto al palacio del Sultán.

Allí, éste los esperaba junto a la madre de Aladino, sumamente preocupados sin saber qué había ocurrido. Ellos les contaron todo lo que había pasado y, para celebrar el regreso de los jóvenes, el Sultán decidió realizar una gran fiesta que, esta vez, duró diez días y diez noches.

Y a partir de entonces, vivieron felices hasta el final de sus días.

El pájaro sabio

Una vez, un hombre caminaba por el bosque cuando vio que, posado en una rama, había un hermoso pájaro cuyas tornasoladas plumas brillaban bajo los rayos de sol que penetraban por entre las hojas de los árboles. Tan hermoso y majestuoso se veía el pájaro, que el hombre pensó en cazarlo para llevárselo a su casa. Sin que el pájaro advirtiese su presencia, sacó una red que llevaba consigo y, con un certero movimiento, lo atrapó.

El ave era, en realidad, un pájaro mágico y así le habló al hombre:

—Escucha, buen hombre. Tú eres mi captor y yo soy tu prisionero. Sin embargo, no soy de ninguna utilidad para ti estando en una jaula. Si me dejas en libertad, podré en cambio darte tres consejos que te serán muy útiles en la vida.

El hombre reflexionó sobre las palabras del pájaro y, finalmente, decidió dejarlo en libertad. Al comenzar a liberarlo de la red, el pájaro le dio su primer consejo:

—Nunca sientas pesar por las cosas perdidas, por más valiosas que éstas sean.

Una vez liberado de los hilos, el pájaro volvió a volar hasta la rama del árbol. Una vez que se encontró posado en la rama, le dio al hombre su segundo consejo:

—Nunca creas en las cosas que contradicen la razón.

Desplegando sus espléndidas alas, el pájaro levantó vuelo y desde el aire, dijo:

— ¡Qué tonto eres! Llevo dentro de mi cuerpo una enorme esmeralda que hubiese sido tuya si me hubieses matado.

El hombre se arrepintió inmediatamente de haber liberado al pájaro. Lamentándose de su torpeza, exclamó:

—¡Verdaderamente, he sido un idiota! Al menos, dame el tercer consejo que aún me debes.

El pájaro entonces dijo:

—Pues eres mucho más idiota de lo que crees. ¿De qué te servirá mi tercer consejo si no has comprendido los otros dos que ya te he dado? Te he dicho que no sientas pesar por las cosas perdidas y que no creas en aquello que contradiga la razón y acabas de hacer ambas cosas.

Diciendo esto, el ave remontó vuelo y se perdió detrás de las nubes.

El prisionero

Hace muchos años Ahmed al Halim fue condenado a la cárcel de por vida por un terrible crimen que no había cometido. Dada la gravedad del delito que se le imputaba, lo habían recluido en una de las prisiones más inexpugnables del reino. Se decía que de esa prisión era imposible escapar. Sus gruesas paredes de piedra, su construcción laberíntica y su ubicación en una isla lejana hacían imposible que cualquier intento de fuga fuera exitoso. Se decía, sin embargo, que una vez, un hombre sí había podido escapar de allí pero de esto hacía mucho tiempo y posiblemente fuese solo un mito.

Ahmed estaba desesperado, pero decidió aceptar su destino y se preparó para pasar allí los años que le quedaran de vida. Al menos, su mujer siempre había creído en él y estaba convencida de su inocencia.

Los años pasaron y Ahmed se convirtió en un prisionero ejemplar. Dada su buena conducta y su amabilidad para con sus carceleros, se fue ganando poco a poco su confianza y, con el tiempo, permitieron que su celda fuese un poco más cómoda. Incluso se le permitió a su mujer traerle una pequeña alfombrilla sobre la cual pudiese arrodillarse para realizar sus rezos.

Los años siguieron pasando y un día, cuando los carceleros fueron hasta la celda de Ahmed para llevarle su ración de comida, se encontraron con que éste había desaparecido. Nadie podía explicarse cómo había hecho para escapar de allí.

Varios años después, se descubrió por una casualidad que en realidad Ahmed no había cometido el crimen y había sido acusado injustamente. El gobierno sacó un decreto en el que no solo se lo perdonaba, sino que, en resarcimiento, se le iba a pagar una importante suma de dinero.

Entonces Ahmed, quien había permanecido escondido todos esos años, se presentó ante las autoridades. Todos querían saber cómo había hecho para escapar de la prisión. Entonces contó la historia de su fuga:

> "Mi mujer, que desde el principio había creído en mi inocencia, pensó desde el comienzo cómo podía ayudarme a escapar de la cárcel. Durante mucho tiempo, se dedicó a recorrer el país buscando a aquel hombre que, supuestamente, había escapado de la prisión sin ni siquiera saber, en realidad, si éste siquiera existía. Finalmente, logró dar con él en un lejano pueblo, cerca de las fronteras del reino. Mi mujer le contó acerca de lo injusto de mi encarcelamiento y logró que el hombre le diera un sucio y amarillo papel que había conservado durante años. Era el plano que había realizado y que le había permitido escapar de la prisión. El hombre le contó a mi mujer que, antes de entrar en prisión, él había sido constructor. Para obtener ese plano, había estado años y años cavando las paredes con un pequeño cuchillo que escondía detrás de una piedra de las miradas de sus carceleros. A partir de cientos de ensayos y otros tantos errores, había logrado dibujar la disposición de los pasillos, de las celdas de la cárcel; su red de corredores, con sus esquinas y sus aberturas. Así, logró ir perfeccionando el plano hasta poder figurarse el laberinto completo de su arquitectura. Finalmente, después de todos los intentos fallidos, pudo cavar un túnel que lo llevó hacia el exterior de la prisión, desembocando en una playa escondida de la

isla. Desde allí, nadando cinco días y cinco noches, logró llegar hasta tierra firme y escapar.

Mi mujer estudió atentamente el viejo plano y se dedicó a incorporar su diseño en una alfombra que ella misma tejió primorosamente con sus manos. El plano estaba situado justo en el lugar donde mi cabeza tocaba la alfombra para realizar mis rezos. Mi mujer confiaba en que yo me daría cuenta de que esos trazados correspondían al plano que me permitiría escapar. Así que yo lo fui memorizando, cavando a mi vez desde mi celda un orificio, que tapaba cada vez que venían los guardas, con uno de los bloques de piedra del muro. Así, con el tiempo pude dar con el túnel que el hombre había cavado durante su fuga. Simplemente tuve que seguir el pasadizo por él horadado y así llegué a una playa. Nadé durante días y, finalmente, logré evadirme".

Jack y las habichuelas mágicas

Hace muchos años, en un lejano país, vivía una mujer que se había quedado viuda con su único hijo que se llamaba Jack. Eran muy pobres. Tenían una pequeña huerta a la orilla de un lago y una vaca. La leche que les sobraba, la vendían en el mercado y, con eso, les alcanzaba para vivir. Pero un día la mujer enfermó. Ya no podía trabajar en la huerta ni ordeñar la vaca, así que pronto se quedaron sin comida ni dinero.

—Hijo mío, tendrás que ir al mercado y vender nuestra vaca— le dijo la madre a Jack.

Aunque lamentaban mucho tener que desprenderse del animal, así lo hizo el joven y, por la mañana temprano, partió hacia el mercado del pueblo. Iba atravesando el campo cuando se encontró con un extraño hombre que caminaba apoyándose en un cayado y llevaba un gran saco de arpillera a la espalda.

—Qué bonita vaca llevas, joven. ¿A dónde te diriges? —le preguntó el hombre a Jack.

Jack le contó que se dirigía al mercado a vender la vaca porque su madre y él eran muy pobres y se habían quedado sin dinero.

—Si me das a mí tu vaca, yo te daré a cambio algo mucho más valioso que el dinero. —dijo el hombre, y le mostró a Jack unas pequeñas semillas que llevaba dentro de un pañuelo— Se trata de unas semillas mágicas que te traerán riquezas y nunca te faltará nada ni a ti ni a tu madre.

Jack se alegró mucho de haber encontrado a ese hombre. De buen grado, cambió su vaca por las semillas mágicas. Entusiasmado, volvió corriendo a su casa y le contó a su madre lo que había hecho. Cuando la madre se enteró, se enojó muchísimo. Jack había sido engañado y ahora se habían quedado sin la vaca y sin el dinero que suponía su venta. Muy enfadada, cogió las semillas y las arrojó por la ventana.

Jack estaba muy afligido por el mal que, sin darse cuenta, había causado. Como ya no tenían nada más de comer, se fueron a dormir con el estómago vacío.

A la mañana siguiente, poco antes de salir el sol, Jack sintió que su cama se movía y pensó que aún debía estar soñando. Sin embargo, la cama seguía moviéndose y Jack se dio cuenta de que, en realidad, lo que se movía no era la cama sino la casa entera. Alarmado, se asomó por la ventana y vio que allí, en el pedazo de tierra que había entre su casa y el lago, justo donde su madre había arrojado las semillas, había crecido una enorme planta de habichuelas. Tan grande se había puesto la planta que hasta incluso estaba moviendo los cimientos de la casa con sus enormes raíces. La planta subía y subía hasta que su copa se perdía entre las nubes.

Pensando que su madre al despertar volvería a estar enojada con él, decidió treparse por la planta para ver hasta dónde llegaba. Subió y subió por el tronco. Podía ver su casa allí abajo, cada vez más pequeña. Subió más arriba de las nubes hasta que de pronto llegó a un lugar en donde había un campo lleno de flores. Un camino se abría ente sus ojos. Jack comenzó a caminar por él y pronto llegó a un castillo. En su puerta, había una mujer gigante. Jack se acercó a ella y le preguntó quién vivía en el castillo. La mujer le dijo que allí vivían ella y su marido, que era un ogro malvado al que le gustaba mucho comerse a los niños.

—Así que será mejor que te marches de aquí antes de que él regrese— le dijo la mujer al joven.

Pero desde el interior del castillo venía un delicioso aroma a pan recién horneado y Jack, que no había comido nada desde la mañana anterior, desfallecía de hambre.

—¿Podrías darme algo de comer antes de marcharme? —le preguntó a la mujer.

La mujer se apiadó de Jack, quién se veía flaco y muy hambriento, y accedió a darle un trozo de pan recién sacado del horno. Jack comenzó a engullirlo cuando de pronto sintió que la tierra temblaba y se asustó.

—Es mi marido que regresa de trabajar en los campos— dijo la mujer— Escóndete en este armario antes de que te vea y quiera comerte.

Jack atinó a meterse en el armario de la cocina. Por la puerta entreabierta, pudo ver a un gigante que entraba en el castillo, tiraba en un rincón las herramientas de labranza y se sentaba a la mesa.

—Mujer, estoy hambriento después de tanto trabajo. Sírveme la comida de inmediato.

El ogro comenzó a mirar hacia los costados como si buscara algo.

—Huelo a carne fresca de niño. ¿Acaso tienes algún niño por ahí guardado? ¡Guísamelo inmediatamente!

—No es olor a carne de niño. Es el aroma de este venado que acabo de sacar del horno— mintió la mujer.

La mujer le sirvió al ogro el venado asado y este lo devoró. Luego, se retiró a dormir la siesta. Jack aprovechó para salir de su escondite. Se dirigía hacia la puerta del castillo para salir de allí lo más rápido posible cuando pudo ver que, en una de las salas del castillo, el ogro guardaba una serie de tesoros. Allí había una bolsa repleta de monedas, una gallina que ponía huevos de oro y un arpa que tañía sola. Jack, quien se sentía aun culpable por haber perdido la vaca, cogió la bolsa de monedas y salió del castillo corriendo. Atravesó el campo de flores y comenzó a descender por el tronco de la planta de habichuelas hasta llegar a su casa. Allí se encontró con su madre, quien estaba muy preocupada porque no podía encontrar a su hijo por ningún lado. Jack le contó todo lo que había pasado y le mostró a la madre la bolsa llena de monedas. La madre se alegró mucho de ver el dinero y abrazó a su hijo. Ya no iban a tener que pasar hambre.

Así pasaron los meses, pero las monedas de la bolsa se fueron acabando y la comida volvió a faltar en la casa. Entonces, una mañana Jack decidió volver al castillo de los ogros y comenzó a subir por la planta. Subió y subió hasta llegar al campo de flores. Lo atravesó y llegó hasta el castillo. Nuevamente, se encontró con la mujer del ogro en la puerta.

—¿Qué haces tu aquí? ¡Vete, antes de que mi marido de vea y te coma! —advirtió la mujer.

Del interior del castillo salía el exquisito aroma de unas galletas recién horneadas y Jack tenía mucha hambre.

—¿Podrías darme algo de comer antes de marcharme? —le preguntó a la mujer.

La mujer se apiadó de Jack y, haciéndolo entrar en la cocina, le dio un puñado de galletas. Jack comenzó a engullirlas cuando otra vez sintió que la tierra temblaba.

—¡Mi marido ha regresado del campo! ¡Escóndete enseguida, antes de que te vea y pretenda comerte! – dijo la mujer.

Jack se escondió nuevamente en el armario de la cocina. Por la puerta entreabierta, pudo ver cómo el gigante entraba en el castillo, se sacaba su chaqueta y su sombrero de paja y se sentaba a la mesa.

—Mujer, estoy hambriento después de tanto trabajo. Sírveme la comida de inmediato.

De pronto, el ogro comenzó a olisquear el aire.

—Huelo a carne fresca de niño. ¿Acaso tienes algún niño por ahí guardado? ¡Guísamelo inmediatamente!

—No es olor a carne de niño. Es este cerdo que acabo de sacar del horno— mintió la mujer.

La mujer le sirvió al ogro un cerdo asado y éste lo devoró. Luego, se retiró a dormir la siesta. Jack aprovechó para salir de su escondite. Antes de salir del castillo, cogió a la gallina de los huevos de oro de la sala de los tesoros. Atravesó el campo de flores corriendo y comenzó a bajar por el tronco de la planta de habichuelas, llevando a la gallina debajo de su brazo.

Su madre lo esperaba a los pies del tronco. Jack le contó lo que había pasado y le mostró a la madre la gallina. La madre se alegró mucho. Cambiando en el mercado esos huevos de oro, ya no pasarían hambre.

Así pasaron los meses hasta que un día, Jack decidió volver una vez más al castillo de los ogros. Por la mañana, subió por la planta de habichuelas. Atravesó el campo de flores y una vez más se encontró con la mujer del ogro en la puerta del castillo.

—¿Otra vez tú por aquí? ¿No te he advertido ya que si mi marido te encuentra querrá comerte? – lo increpó la mujer.

Del interior del castillo salía un apetitoso aroma de pastel recién horneado.

—¿Podrías darme algo de comer antes de marcharme? —preguntó Jack.

La mujer lo hizo entrar en la cocina y le sirvió un buen trozo de pastel recién sacado del horno. Jack comenzó a engullirlo cuando de pronto sintió que la tierra temblaba y comprendió que, una vez más, el ogro regresaba del campo. Se escondió en el armario. Por la puerta entreabierta, pudo ver que el gigante se sacaba las pesadas botas y las dejaba en un rincón de la cocina.

—Estoy hambriento, mujer. Sírveme la comida de inmediato.

El ogro miró a su alrededor como si intentara encontrar algo.

—Huelo a carne fresca de niño. ¿Es que tienes algún niño por ahí guardado? ¡Qué ganas de comerme a un niño!

—No es olor a carne de niño. Es esta oveja que acabo de sacar del horno— mintió la mujer.

La mujer le sirvió al ogro una oveja asada y éste la devoró. Luego, se retiró a dormir la siesta. Jack salió de su escondite. Antes de salir del castillo, se dirigió a la sala de los tesoros y cogió el arpa que tañía sola. Ya se dirigía hacia la puerta cuando el arpa mágica comenzó a gritar:

—¡Mi amo!¡Mi amo!¡Que me roban!

Con los gritos, el ogro se despertó de su siesta, intentando entender qué estaba pasando.

Jack, por su parte, salió del castillo corriendo lo más rápido que podían sus piernas. Atravesó el campo de flores seguido por el pesado gigante. Pero Jack, que era mucho más pequeño, era más rápido. Llegando a la planta de habichuelas, comenzó a descender por el tronco. El ogro también comenzó a bajar por él. Como su cuerpo era tan pesado, la planta se sacudía hacia los costados y Jack tenía miedo de caerse. Sin embargo, logró llegar hasta el jardín de su casa, adonde su madre lo estaba esperando.

—¡Rápido, madre!, tráeme el hacha que hay al costado de la casa —demandó el joven, dejando el arpa que tañía sola a un costado.

La madre no tardó en hacerlo y Jack, valiéndose de ella, comenzó a hachar el tronco de la planta de habichuelas. El ogro, fuera de sí de la ira que tenía, seguía bajando y ya no le faltaba mucho para llegar al suelo. Jack comenzó a dar golpes de hacha lo más fuerte que pudo hasta que finalmente, logró quebrar el tronco que cayó hacia uno de los costados tirando al ogro al lago, donde se perdió en el fondo del agua para siempre.

Gracias a la gallina de los huevos de oro, Jack y su madre nunca más tuvieron que pasar hambre. Por la tarde, después de comer, solían sentarse en el jardín de la casa para escuchar la música del arpa que tañía sola. Y así pasaron los años y vivieron felices hasta el final de sus días.

La siesta del pastor

Hace muchos años, vivía en el sur de Grecia un joven pastor llamado Diodoro. Habitaba en una pequeña cabaña cerca de un pueblo, junto con su hermano menor, Ireneo. Ambos habían quedado huérfanos hacía ya varios años. Ireneo tenía una novia llamada Ifigenia, de la que todos pensaban que era la muchacha más bonita del pueblo.

Todos los días, Diodoro llevaba a su rebaño, que consistía en cuarenta ovejas, a pastar a la montaña. El joven se aburría bastante. Lo único que hacía en su vida era subir a la montaña con sus ovejas y dejarlas allí pastando todo el día, día tras día. Muchas veces, cansado de estar sentado en una piedra durante horas, se quedaba dormido.

Un día, como todos los días, subió a la montaña atravesando el valle. A la izquierda del camino, podía ver a los hermanos Papadopoulos, vecinos del pueblo, que estaban preparando un campo de manzanos, cavando pozos, abonando el terreno y estableciendo el espacio que tendría que haber entre los diferentes arbolitos para que, al crecer, no se molestaran unos a otros.

—Buenos días, Diodoro —lo saludaron, y él les respondió agitando su brazo.

Un poco más adelante, había un sembradío abandonado, con antiguos muros de piedra semiderruidos y cubiertos de hiedra. Luego, estaba el río que el joven debía de atravesar cada día con sus ovejas. Pero ésto no era un problema, ya que el río bajaba de la montaña con muy poca corriente. De hecho, incluso muchas veces, durante el verano, el lecho estaba completamente seco.

Diodoro subió por la ladera y, una vez llegado al lugar donde, en esa época del año, los pastos crecían más verdes, dejó a sus ovejas libres y se sentó sobre una piedra. Como todos los días, se dedicó, hora tras hora, a mirar las copas de los árboles recortadas contra las rocas de la montaña, las extrañas formas que adoptaban las nubes, las bandadas de pájaros que pasaban volando coordinadamente, creando diferentes figuras en el cielo.

Cuando el sol comenzó a bajar, Diodoro juntó, como todos los días, a sus ovejas. Comenzó a contarlas: uno, dos, tres, cuatro... treinta y nueve... ¿y la número cuarenta? Sin duda, estaba distraído y debía haber hecho mal la cuenta. Empezó a contarlas nuevamente: uno, dos, tres, cuatro... treinta y nueve... No, no se había equivocado. Faltaba la oveja número cuarenta. Molesto porque seguramente el torpe animal se había alejado demasiado del rebaño, perdiéndose en la montaña, Diodoro partió en su búsqueda.

El joven trepó por los senderos de piedras, se adentró en los bosques de hayas y pinos, incluso entró en cada una de las cuevas que encontraba en el camino. Pero la oveja no aparecía y ya se estaba haciendo de noche. Tan cansado estaba, después de todo un día de trabajo, que se sentó a descansar un rato junto a la entrada de la cueva y sin quererlo, se quedó dormido.

Al despertar, Diodoro se restregó los ojos. Se dio cuenta de que había dejado solo al resto del rebaño y que era mejor que regresara cuanto antes junto a sus ovejas. Tuvo que aceptar que la oveja número cuarenta se había perdido. Era muy posible incluso que, deambulando sola por la ladera, algún lobo la hubiera apresado y se la hubiera comido. El joven retornó al lugar en el que había dejado al rebaño. Pero para su sorpresa, allí las ovejas ya no estaban. Alarmado, en una primera instancia pensó en buscarlas por los alrededores, pero luego concluyó que, seguramente, alguno de los otros pastores las había visto solas en la montaña y, para hacerle un favor, se había ocupado de bajarlas al pueblo.

Con este pensamiento en mente, comenzó a bajar por la ladera, camino a su casa. Al llegar a la orilla del río, Diodoro se sorprendió mucho de ver que el agua bajaba de la montaña caudalosamente. Parecía que hubieran limpiado el cauce fluvial. Incluso podía ver que alguien había construido una escollera de piedras para normalizar su recorrido. Increíble, pensó el joven, que pudieran haber hecho todo eso en unas pocas horas.

Al cruzar junto al sembradío abandonado, Diodoro se sorprendió aún más de ver que, en su lugar, alguien había levantado todo un complejo de casas con fachadas de piedras y madera. Cada casa tenía su propio jardín en donde había plantadas rosas, azucenas, violetas y azafranes. ¿Se habría equivocado de camino? El joven siguió andando. En donde aquella mañana los vecinos del pueblo comenzaban a sembrar los manzanos, había un frondoso bosque de árboles frutales, densamente enredados y espaciados de manera desigual. Pudo ver que una joven estaba recolectando frutas, colocándolas cuidadosamente en una cesta de esparto.

—Buenos días, anciano— saludó la joven.

Diodoro detuvo sus pasos, confundido. Miró a su alrededor a ver si veía a algún anciano, pero aparte de él, allí no había nadie. Nunca había visto a esa joven.

—¿Eres nueva en el pueblo? ¿Dónde están los hermanos Papadopoulos? —preguntó.

—Yo he nacido en este pueblo. Dimitri Papadopoulos era mi abuelo.

Diodoro se preguntó si la joven no le estaría jugando una broma. Solo que la broma a él no le hacía ninguna gracia. Caminando, llegó a su casa. Pero cuando quiso abrir la puerta, un joven salió a su encuentro.

—¿Desea algo, buen hombre? – preguntó el joven.

Ya estaba bien de tanta broma, pensaba Diodoro.

—¿Qué si deseo algo? Deseo entrar a mi casa y que todos en este pueblo se dejen de molestarme.

El joven que había abierto la puerta pensó que estaba ante un loco.

—Esta no es su casa sino la mía. Yo la heredé de mi padre y mi padre, a su vez, de su padre Ireneo.

Diodoro se quedó de una pieza. Sin saber muy bien qué hacer y dado que el joven no lo dejaba entrar, se dirigió al bar del pueblo. Adentro, comprobó que ya no lo estaba atendiendo, como de costumbre, Eneas el cojo sino un joven de cabellos claros que estaba llenando unas copas, detrás del mostrador.

— ¿Dónde está Eneas? – preguntó, al borde del desmayo.

—¿Eneas? ¡Pero si Eneas falleció hace veinte años! – contestó el joven— ¿Quién lo busca?

—¡Pero soy yo, Diodoro! ¡Que alguien me explique qué es lo que está pasando!

Diodoro pudo comprobar que allí, él no conocía a nadie y que nadie lo conocía a él. Lo peor era que, al pasar junto a una de las ventanas del establecimiento, pudo ver su reflejo en el cristal. Lo que estaba viendo era el rostro de un viejo.

Sentada en un rincón del bar, una anciana dormitada con la barbilla caída sobre el pecho. Al oír el nombre de Diodoro, abrió los ojos y observó al hombre.

—¿Diodoro?

Diodoro miró a la mujer. Tardó bastante, pero finalmente pudo reconocer que se trataba de Ifigenia solo que ahora era una anciana.

—Ifigenia, ¿qué te ha pasado? ¿Dónde está Ireneo?

Entonces, Ifigenia, emocionada, le contó que hacía mucho tiempo ya del día en que él se había ido a la montaña con sus ovejas y nunca más había regresado. Ireneo lo había buscado por todos lados. Todo el pueblo había salido a buscarlo. Hasta habían llamado a los soldados, que habían recorrido todas las montañas sin poder nunca hallarlo. Entonces, no tuvieron más remedio que darlo por muerto. Ireneo sufrió muchísimo la muerte de su hermano. Ella finalmente no se había casado con él sino con Eneas, el dueño del bar. Juntos habían tenido cuatro hijos y ahora tenía diez nietos, siendo uno de ellos, el joven que estaba atendiendo el mostrador. Ireneo, por su parte, se había casado con una joven de otro pueblo que se había venido a vivir a la casa de Ireneo. Ambos tuvieron dos hijos. Uno de ellos, al crecer, se había ido a vivir al pueblo de su madre. El otro se había quedado a vivir en la casa, una vez que sus padres murieron.

—Pero y tú, Diodoro, ¿adónde has estado todos estos años?

¡Durante cuarenta años, Diodoro había estado durmiendo!

Las babuchas de Abu Kassem

Hace muchos años, vivía en Bagdad un rico comerciante llamado Abu Kassem. Era conocido en la comunidad tanto por su gran riqueza como por su avaricia y tacañería. Aunque era muy adinerado, trataba siempre de ocultarlo y vestía casi como un vagabundo. Proverbiales eran sus viejas babuchas. Tan maltrechas y remendadas estaban que hasta un mendigo hubiese dudado en usarlas. Toda la gente hablaba de su roñosería a sus espaldas.

Un día, Abu Kassem había realizado un negocio que había sido especialmente provechoso para él. Había comprado unas botellas de perfume a muy bajo precio a un comerciante que había ido a la quiebra y esperaba venderlas, a su vez, a un precio mucho más elevado en el mercado de la ciudad. Para celebrar el evento, el comerciante decidió ir a los baños públicos para darse un buen baño, cosa que no había hecho en mucho tiempo. En el vestuario, se encontró con otro comerciante amigo suyo que lo quería bien. Apenado porque todos hablaban mal de Abu Kassem a sus espaldas, burlándose de él y poniéndolo en ridículo, el amigo decidió encararlo.

—Abu Kassem, amigo, me apena decirte que todos hablan de ti a tus espaldas señalando tu tacañería. ¡Mira por ejemplo estas babuchas que llevas! ¡Están destruidas! ¿Cómo es posible que aún las sigas usando? Todos sabemos que, con el dinero que tienes, podrías comprarte unas babuchas de oro si así lo quisieras.

Abu Kassem suspiró. Apreciaba los comentarios de su amigo, pero él pensaba, por el contrario, que no había nada de malo con sus babuchas y que aún podía tirar con ellas varios años. Ambos dejaron su ropa en el vestuario y se dirigieron a los baños.

Mientras tanto, quiso la casualidad que también visitara esos mismos baños el cadí (*) de Bagdad. Abu Kassem, que había terminado de bañarse bastante rápido, regresó al vestuario. Se puso su chilaba, pero cuando fue a buscar sus babuchas, éstas no aparecían por ningún lado. Unos pocos metros más allá de donde las había dejado, había unas hermosas babuchas bordadas en oro. Abu Kassem movió la cabeza. Seguramente su amigo había querido hacerle un regalo con ellas. Las calzó y, saliendo de los baños, se dirigió tranquilamente a su casa.

Poco después, el cadí salió de tomar su baño y se dirigió también al vestuario. Pero ¿dónde estaban sus hermosas babuchas? Sus esclavos las buscaron por todos lados. Habían desaparecido. Lo que encontraron en cambio fueron unas apestosas babuchas hechas girones. Todos reconocieron al instante que se trataba de las babuchas de Abu Kassem. El cadí montó en cólera y ordenó que detuvieran inmediatamente al comerciante. Poco después, un grupo de soldados se presentó en la casa de Abu Kassem. Tomándolo prisionero, lo condujeron en presencia del cadí, quien al ver que como prueba de su delito llevaba puestas las sandalias doradas, ordenó que lo condujeran a la cárcel.

Mucho le costó al comerciante que le creyeran que no había sido su intención robar las babuchas sino que se había tratado sencillamente de una confusión. Finalmente, logró que lo pusieran en libertad no sin antes cobrarle una cuantiosa multa.

En el camino de vuelta a su casa, enfadado por haber tenido que

---

* *Un cadí es un gobernante juez en los países musulmanes.*

gastar tanta plata en la multa por culpa de las babuchas, Abu Kassem las arrojó al río Tigris y volvió a su casa descalzo. La mala suerte quiso que unos pescadores, que se hallaran pescando en el lugar, hubieran tendido allí sus redes. Creyendo haber pescado un gran pez, extrajeron la red de las aguas solo para ver que allí no había ningún pez sino las babuchas de Abu Kassem que, con los múltiples clavos con los que estaban remendadas, habían producido en ellas varias roturas.

Enojadísimos, se dirigieron a la casa del comerciante y arrojaron las babuchas hacia el interior de la casa por la ventana de su sala. Tanta mala suerte tuvo Abu Kassem que las babuchas cayeron justo sobre la mesa en la que él había dispuesto las numerosas botellas de perfume que pensaba vender al día siguiente en el mercado. Las botellas quedaron destrozadas.

—¡Estas babuchas solo me traen desgracias! —se lamentó el comerciante.

Esa noche, decidió enterrarlas en el jardín de su casa. Cavó un profundo pozo, las metió adentro, las tapó con tierra y se fue a dormir pensando haberse liberado de una vez por todas de su fastidioso calzado. Lo que no sabía Abu Kassem, es que un vecino suyo, que siempre había envidiado su habilidad para los negocios, lo estaba espiando desde su ventana. Era extraño que estuviera cavando a esa hora y, más todavía, que lo estuviera haciendo él mismo y no se lo hubiera encargado a alguno de sus sirvientes. Creyendo que lo que estaba haciendo el comerciante era cavar en el jardín porque había encontrado allí un tesoro enterrando, corrió a denunciarlo ante el cadí, ya que cualquier tesoro hallado bajo tierra pertenecía por ley al califa. Nuevamente, Abu Kassem fue llamado a palacio y debió rendir cuentas sobre su conducta ante la justicia. Por más que aseguraba que lo que había estado haciendo era enterrar sus babuchas, nadie le creyó y se le ordenó pagar una cuantiosa multa.

Harto de su maldito calzado, el comerciante lo cogió y se lo llevó hasta las afueras de la ciudad, arrojándolo a un estanque, esta vez sí, creyendo por fin haberse librado de él. Pero, en realidad, lo que él tomó por un estanque no era sino el depósito de agua de la ciudad. Las babuchas fueron arrastradas por el agua hasta ir a parar al desagüe principal de la cañería, tapándolo por completo y dejando a la ciudad sin agua. Al ir a ver los soldados qué era lo que estaba sucediendo, se encontraron allí una vez más con las babuchas del comerciante. Abu Kassem fue otra vez detenido y conducido a la prisión. Nuevamente, tuvo que pagar una fuerte multa por los inconvenientes que había causado.

Desesperado, al llegar a su casa el comerciante recogió las babuchas y, maldiciéndolas, las arrojó con furia por ventana hacia la calle. Pero la mala suerte definitivamente lo perseguía. Justamente pasaba por allí una mujer que paseaba con sus hijos. Las babuchas cayeron sobre su cabeza y la lastimaron. La mujer no tardó en presentar una queja ante el cadí. Este volvió a llamar al comerciante y nuevamente le impuso el pago de una considerable multa. Con todas las multas que había pagado y al haberse roto toda su mercadería, Abu Kassem había quedado en la ruina. Invadido por la angustia, se tiró al piso delante del cadí, implorando su misericordia.

—¡Señor, tened misericordia! ¡Aleja de mí estas babuchas que no me traen sino desgracias! ¡Impedid que yo siga siendo el responsable de todos los males que ellas causan!

Al ver al comerciante en ese estado, el cadí se apiadó de él y ordenó a sus soldados que las malditas babuchas fueran destruidas.

El cocodrilo

Una vez, un viejo maestro Zen se hallaba en su lecho de muerte. A la cabecera de la cama, lo acompañaba su joven y fiel discípulo.

—Maestro, ahora que estás a punto de morir, quisiera que me transmitieras el secreto de tu enorme sabiduría – demandó el joven.

El maestro le pidió con un gesto que acercara su cabeza a la de él y le dijo al oído simplemente seis palabras:

—No pienses más en el cocodrilo.

Segundos después, murió.

Apesadumbrado, el discípulo se quedó reflexionando sobre las palabras del maestro. Año tras año, se devanaba los sesos intentando comprender qué era lo que él le había querido decir, cuál era el significado oculto tras sus palabras.

Intentando descifrar el enigma, recorrió el país, visitando diferentes monasterios y maestros. También se sumergió en herméticas bibliotecas, buscando pistas en ajados pergaminos y en pesados rollos de extrañas escrituras prácticamente ilegibles. Pero en ningún sitio pudo hallar una respuesta.

Así pasaron los años y él mismo terminó por convertirse en un anciano.

Una noche, sin embargo, se despertó de pronto incorporándose de un salto en la cama. Como si un rayo lo hubiera alcanzado, comprendió finalmente el significado de las palabras que durante tanto tiempo había buscado: el maestro le había indicado que no pensara más en el cocodrilo y, durante años y años, no había hecho otra cosa que pensar en él.

La princesa que venía de la Luna

En una lejana granja perdida en las montañas del norte del Japón, vivía una pareja de ancianos. Estaban solos porque nunca habían tenido hijos. El hombre se dedicaba a cortar cañas de bambú mientras que la mujer se ocupaba de todas las tareas del hogar y de la granja. Una noche, el anciano se había quedado en la montaña más tiempo del acostumbrado y ya había comenzado a caer la noche. Distraído, seguía cortando bambú. De pronto, se encontró con una caña de la cual parecía salir una extraña luz. Intrigado, el hombre la cortó con cuidado. Cuál no sería su sorpresa al encontrar que, dentro de la caña, había una diminuta bebé del tamaño de su pulgar y de la cual parecía salir un extraño resplandor plateado. El anciano tomó a la bebé entre sus manos y la arropó esmeradamente con el pañuelo. Raudamente, se dirigió con ella a su cabaña.

—¡Mujer, ven a ver lo que he encontrado dentro de una de las cañas! — exclamó al entrar.

La mujer no podía creer lo que veía. La bebé, que era hermosa y muy pequeñita, parecía sonreírles con sus grandes ojos negros. Ambos llegaron a la conclusión de que, como nunca habían tenido hijos, esta bebé era un regalo que les enviaba el cielo. Se dedicaron a criarla con todo su amor y esmero. La llamaron Kaguya, que en japonés quiere decir "luz brillante" debido a la blanca luminosidad que irradiaba su piel.

Pasaron los años y Kaguya se convirtió en una hermosa joven. Además de bella, mostró desde el principio su buen carácter, ayudando a su madre en las tareas de la granja y acompañando a su anciano padre a traer las cañas de bambú desde la montaña. Sin embargo, por más que ella trataba de disimularlo, muchas veces los ancianos la sorprendían triste e incluso, a veces, llorando. Por las noches, se sentaba en el jardín de la cabaña y se pasaba las horas mirando la Luna.

No tardaron en llegar los pretendientes. Los jóvenes del pueblo y también los de los alrededores venían a pedirla en matrimonio. Pero ella se negaba cada vez, proponiéndoles tareas imposibles de cumplir como condición para casarse con ella. Por ejemplo, a uno de ellos le había pedido que le trajera el cáliz sagrado del Buda, que se encontraba en una montaña al sur de la India; al segundo le había pedido que buscara una escama del Dragón de fuego, animal que dormitaba durante todo el año a la entrada de una cueva en Mongolia; a otro le exigió que le consiguiera el cuerno de un unicornio. La princesa les pedía cosas que sabía que eran imposibles para que los jóvenes no pudieran cumplir su cometido. Pero los pretendientes seguían llegando.

Las noticias acerca de su belleza habían trascendido la región y se habían extendido por todo el país. Incluso habían llegado a oídos del hijo del Emperador quién, curioso, quiso conocer a esta joven de la que todo el mundo hablaba. Con un séquito de cuarenta soldados, partió hacia las montañas del norte y buscó el pueblo donde vivía la muchacha. Al llegar a la humilde cabaña y ver a la joven, quedó inmediatamente prendado de ella y pidió su mano al anciano cortador de bambú. El anciano, halagado por el pedido del príncipe, le pidió a la joven que pensara muy bien la respuesta que iba a darle. Los ojos de la joven se llenaron de lágrimas y entonces le dijo al hijo del Emperador y a sus ancianos padres que tenía que confesarles una cosa que nunca había dicho a nadie. Kaguya les contó que ella en realidad no pertenecía al planeta Tierra. Era la hija de los reyes de la Luna y, debido a que allí había habido una guerra que había puesto en riesgo su vida, el rey de la Luna, su padre, había ordenado a sus soldados que la trasladaran a algún planeta cercano y que allí permaneciera hasta que terminara la contienda. Así, llegaron al planeta Tierra y los soldados decidieron esconderla adentro de una caña de bambú, que era a donde el anciano la había encontrado. Recientemente, a Kaguya le habían llegado noticias de que la guerra en la Luna había terminado. Era inminente que su padre enviara a sus soldados para buscarla. Por esta razón, a ella le era imposible comprometerse para casarse en la Tierra, ni siquiera con el hijo del Emperador.

Una gran tristeza embargó a los ancianos. Si Kaguya volvía a la Luna, nunca más volverían a verla. El hijo del Emperador tampoco se resignaba a dejar partir a la bella joven de la cual se había enamorado perdidamente. Obstinado por impedir que se la llevaran, ordenó a sus soldados que rodearán la casa y que montaran guardia cada noche. Así pasaron varios días hasta que llegó la luna llena. Los soldados permanecían en sus puestos haciendo rigurosa guardia. De repente, una luz llenó el cielo y su resplandor cegó a todos. Antes de que pudieran recuperar la vista, un carruaje hecho de plata bajó desde el cielo tirado por seis caballos blancos. Kaguya estaba preparada. Con gran garbo y elegancia, se despidió de sus padres y del príncipe. Subió al carruaje, que volvió a remontarse por el aire y se perdió detrás de las estrellas. Antes de partir, le dejó al hijo del Emperador una carta de despedida.

Se dice que éste le respondió a su vez con otra carta, ordenando a sus soldados que subieran al monte Fuji y que allí la quemaran para que su contenido subiera directo hasta la Luna. Se dice que el humo que todavía puede verse en la cima del monte pertenece a la carta del príncipe, que aún está ardiendo.

En cuanto a los ancianos, todas las noches de Luna llena se sientan en el jardín para observarla. Se dice que a veces creen ver a Kaguya muy pequeñita, allí arriba, en la Luna, sacudiendo su mano en señal de saludo.

El maestro Chang y sus pinturas

Hace muchos años, en la antigua China, vivían un anciano pintor llamado Chang y su discípulo llamado Xin, que recorrían los caminos del reino desplazándose de pueblo en pueblo. Chang se ganaba la vida vendiendo sus pinturas y acuarelas que realizaba a partir de encargos. Detrás de Chang, siempre iba Xin cargado de tarros de pintura, rollos de papel de arroz, lienzos y pinceles de pelo de conejo morado. A pesar de que todos conocían a Chang y de lo popular de sus pinturas, éste nunca tenía suficiente dinero pues vendía sus pinturas simplemente a cambio de un plato de arroz o de algún lugar para pasar la noche. Pero eso a ellos no les molestaba porque no creían en la importancia de los bienes materiales. Lo que verdaderamente amaban, era recorrer los caminos de las montañas, mirando las estrellas en el cielo por las noches y las mariposas y las flores del camino durante el día. Las pinturas de Chang tenían una característica especial: eran tan perfectas en cada uno de sus detalles que parecían tener vida. Cada vez que él y Xin llegaban a un pueblo, todos acudían a recibirlos. Todos querían tener una pintura realizada por él. Algunos lo tenían al anciano por un sabio, pero otros consideraban que tenía algo de brujo.

Caminando a la deriva por las montañas, llegaron un día hasta las puertas de la Ciudad imperial. Buscaron una humilde posada donde pasar la noche y se recostaron en un rincón, tapados únicamente con unas bolsas de arpillera que les había facilitado el posadero. En el medio de la noche, los despertó el ruido de unos soldados que entraban en la posada. Se dirigieron donde estaba el anciano maestro y lo cogieron por el brazo. Chang fue arrastrado fuera de la posada por los soldados, que lo llevaron a los tumbos por las calles hasta que finalmente llegaron al Palacio. Sorprendido y atemorizado, Xin seguía a de cerca a su maestro sin atinar a saber qué hacer.

Una vez en Palacio, Chang fue conducido a través de diferentes pasillos y salones hasta que finalmente llegaron al Salón imperial donde se hallaba el Hijo del Cielo, sentado en un imponente trono de jade. El viejo Emperador había fallecido hacía poco y su hijo lo había sucedido, con tan solo diecisiete años. Chang se arrodilló ante él.

—O sublime Hijo del Cielo, ¿qué te he hecho yo para que me tomes prisionero?

—¿Y todavía me preguntas qué me has hecho, viejo Chang? Déjame que te lo cuente– dijo el Emperador, y así comenzó su historia:

—Como heredero del Trono celeste, yo crecí en soledad, alejado de mis súbditos y de prácticamente todo contacto humano. A nadie se le permitía entrar en mis habitaciones salvo a unos pocos viejos sirvientes que se mostraban en ellas lo menos posible. Lo único que alegraba mis horas era recorrer los pasillos en donde mi padre había guardado todas las pinturas que había en el Reino, pues él pensaba que estas imágenes debían ser apartadas de las miradas de los profanos y las había atesorado a todas en nuestro palacio. Así fue como yo crecí mirando los colores de tus pinturas. Durante toda mi infancia y al principio de mi adolescencia, me estudié tus cuadros y me los aprendí de memoria. Tú me hiciste creer, con tus pinturas, que el mar era tan azul como las piedras de zafiro incrustadas en mis anillos; que los pétalos de las flores eran tan delicados como las sedas del Himalaya con las que estaban hechas mis ropas; que las nubes en el cielo eran suaves como las plumas de las garzas de las que estaban hechas mis almohadas, que la piel de las mujeres era de porcelana y sus labios, rojos como rubíes. Cuando por fin, a los dieciséis años, las puertas del mundo se abrieron para mí y pude subir por primera vez a la torre de Palacio y desde allí mirar el cielo, entonces descubrí que las nubes eran menos hermosas que tus pinturas. Salí a recorrer mi reino. Recorrí todas las provincias, todos los caminos. Sin embargo, ninguna flor era tan hermosa como las flores que tú habías pintado; ninguna mujer se aproximaba siquiera a las bellas mujeres en tus cuadros. Nunca pude hallar tus jardines ni tus flores. Al lado de tus pinturas, el mundo es anodino y desabrido. ¡Me has mentido viejo Chang! En tus pinturas, la nieve no se derrite ni las plantas se marchitan, mientras que, en la vida real, toda caduca y perece. Es por eso, que he decidido castigarte, viejo impostor. Para vengarme de todo el daño que me has hecho, he decidido mandar a que te saquen los ojos y que te corten las manos.

Al escuchar la sentencia del Emperador, Xin, el discípulo de Wang, se precipitó frente al trono y, postrándose en el suelo, pidió clemencia para su maestro. Pero dos soldados se abalanzaron sobre él y también quedó detenido.

— Viejo Chang, mi decisión está tomada y pronto se cumplirá mi sentencia. Sin embargo, antes de que ésta se concrete, tengo aún otra orden que darte. Entre los cuadros por ti pintados, pertenecientes a la colección de mi padre, hay una pintura en donde se ve un maravilloso paisaje con un mar y unas montañas. Sin embargo, esta pintura no está terminada. Es simplemente un boceto y falta completar las laderas de las montañas, las arenas de las orillas, las olas en el mar. Quiero que dediques tus últimas horas a terminar esta pintura y que deberá ser la pintura más increíble que jamás hayas pintado.

A una señal del Emperador, dos soldados trajeron la pintura inacabada del maestro y la colocaron sobre un atril. También trajeron tarros de pintura y pinceles para que Chang tuviera todo el material necesario para comenzar su tarea. El anciano eligió sus pinceles, estudió los diferentes colores y comenzó a retocar las montañas y sus cimas nevadas, las arenas en las orillas con unos toques tan delicados que parecían cobrar volumen. Eligió un color azul turquesa y comenzó a extenderlo sobre el mar. Sus pinceladas eran tan precisas que el agua parecía cobrar movimiento. Mientras el maestro pintaba, algo increíble iba teniendo lugar: el suelo de mármol del Salón imperial se iba un humedeciendo. Absorto en su pintura, Chang no se percataba de ello. Mientras más mar pintaba, más agua empezaba a llenar el recinto. Chang agregó una pequeña embarcación cerca de la orilla de la playa. El agua seguía subiendo y ya llegaba a la cintura de todos los cortesanos. Cada una de las personas en el recinto había quedado como inmovilizada. Todo estaba en silencio, salvo por el sonido del mar y el ruido de la pequeña embarcación chocando con las rocas de la playa. Entonces, el viejo maestro tomó al sorprendido Xin de la mano y ambos subieron a la embarcación. El agua cubría ya las cabezas de todos los cortesanos y también la del joven emperador, cuya larga trenza se había enroscado y flotaba debajo del agua como una flor de loto.

Xin empuñó los remos y comenzó a remar hacia el horizonte.

En el Salón imperial, el agua comenzaba a descender de nivel y pronto solo quedaron unos pequeños charcos sobre el mármol del suelo. Las ropas de los cortesanos ya estaban prácticamente secas, al igual que las del emperador. El Hijo del Cielo bajó de su trono y se acercó al atril donde se encontraba la pintura terminada del maestro. Allí estaban las montañas con sus picos nevados, estaba el mar y la espuma de las olas, estaban las arenas doradas de la playa. Allí, cerca del horizonte, pudo ver un punto que pasaba prácticamente desapercibido. Era la pequeña embarcación del maestro Chang y su discípulo Xin, que navegaban hacia el crepúsculo hasta desaparecer para siempre en el horizonte del mar recién pintado.

La suerte de Wang

Había una vez, en las lejanas montañas de Yunnan, en la China, un anciano labrador muy pobre llamado Wang. Había quedado viudo hacía varios años y vivía en una humilde granja junto con su único hijo. Apenas si les alcanzaba para comer, cultivando una pequeña huerta que tenían y vendiendo en el mercado del pueblo aquellas hortalizas que le sobraban. También tenían un par de cabras que les daban leche.

Una tórrida tarde de verano, pasó una cosa sorprendente. Un hermoso potro blanco bajó de las montañas hacia el valle buscando comida, ya que el fuerte sol de agosto había quemado los pastos en las zonas más elevadas. Desorientado y hambriento, el animal fue a parar al establo del anciano y comenzó a comer de los fardos de heno que allí guardaban para alimentar a las cabras.

El hijo del labrador, al percatarse de que el caballo había entrado en el establo, cerró la gruesa puerta del lugar, tratando de hacer el menor ruido posible, para evitar que el animal escapara.

La gente del lugar no tardó en enterarse. Como buenos vecinos que eran, y ya que apreciaban mucho al anciano Wang, se fueron hasta su granja a felicitarlo por la buena suerte que había tenido. No todos podían tener un brioso potro que, sin duda lo ayudaría con las labranzas de la tierra y con el traslado de las hortalizas al mercado.

—¿Buena suerte?, ¿quién sabe? – respondió el anciano y todos se quedaron intrigados por el significado de sus palabras.

Pocos días después, en un descuido del hijo, la puerta del establo quedó abierta. El potro se escapó y, al galope, así como había llegado, se fue, perdiéndose por las montañas.

Nuevamente, los vecinos se acercaron hasta la granja del anciano para lamentarse junto a él de la mala suerte que había tenido al perder el animal.

—¿Mala suerte?, ¿quién sabe? – respondió el anciano y todos nuevamente se quedaron preguntándose cuál sería el significado de sus palabras.

Unos días más tarde, hete aquí que el potro blanco regresó, trayendo además a cuatro caballos más, tan fuertes y jóvenes como él. Los animales entraron en el establo y comenzaron a comer el heno que había allí apilado. El hijo del labrador no tardó en reaccionar y nuevamente cerró con sigilo la puerta, dejando a los animales prisioneros dentro.

Los vecinos volvieron a felicitar a Wang por la increíble suerte que había vuelto a tener.

—¿Buena suerte?, ¿quién sabe? – respondió el anciano y los vecinos pensaron que sin duda el hombre ya era demasiado anciano y no entendía muy bien lo que estaba sucediendo.

Los días pasaron y el hijo del anciano decidió que ya era hora de intentar domar al potro blanco. Lo ató con una brida, lo llevó hasta un campo cercano y quiso montarse en él. Pero el animal empezó a sacudirse de tal manera que el joven cayó al suelo, dándose un buen golpe. El potro seguía sacudiéndose y el joven recibió varias patadas del animal, como consecuencia de las cuales sufrió la rotura de varios huesos.

Enterado de lo que había sucedido, todo el pueblo se presentó en la granja del anciano para expresarle su solidaridad en esos momentos de mala suerte.

— ¿Mala suerte?, ¿quién sabe? – volvió a decir el anciano.

Los vecinos, para ese entonces, ya pensaban que el anciano estaba desvariando.

Unas semanas más tarde llegó por la zona un grupo de soldados con un bando del Emperador, anunciando que el país había entrado en guerra con el reino vecino y que estaban reclutando a todos los que estuvieran en edad y condiciones para poder ir a pelear. Todos los jóvenes del pueblo fueron reclutados menos el hijo del anciano que, debido a su condición, evidentemente no estaba capacitado para la lucha.

Los vecinos del pueblo estaban desconsolados ya que sus hijos habían tenido que marchar al frente y no estaban seguros de si volverían o no a verlos. Apesadumbrados, felicitaban al anciano labrador por la buena suerte que había tenido al poder conservar a su hijo en casa.

— ¿Buena suerte?, ¿quién sabe? – dijo nuevamente el anciano.

Y recién entonces, los vecinos comprendieron la sabiduría de sus palabras.

El sirviente

Una vez, hace muchos años, un humilde campesino llamado Yoshio llegó a Osaka en busca de trabajo. Era la primera vez que iba a la ciudad y todo en ella le llamaba la atención: las casas con sus tejados de pizarra roja, sus bellas pagodas, los portadores de rickshaws [1], atravesando las calles de piedra, las personas vestidas con elegantes kosodes [2] de seda, tan distintos a su camisa de arpillera y su gran sombrero de paja. Así caminando, llegó a una agencia de colocaciones en cuyo escaparate había un cartel en el que podía leerse: "Se buscan empleados para cualquier trabajo"

El campesino entró en el local y, dirigiéndose a la joven que atendía al mostrador, inquirió:

—Estimada señorita. Estoy buscando a alguien que me enseñe a ser un sennin. [3] Es lo que yo más deseo en la vida y estoy dispuesto a hacer cualquier cosa por lograrlo. Yo desearía una colocación en la que pudiera intercambiar mi trabajo por mis lecciones. ¿Sería usted tan amable de conseguirme un empleo como éste?

1- Rickshaw: vehículos ligeros de dos ruedas que se desplazan por tracción humana

2- Kosode: pieza básica de vestimenta japonesa utilizada por hombres y mujeres

3- Un sennin es un ermitaño que vive en la montaña y que posee poderes mágicos que incluyen, por ejemplo, el poder levitar o el tener una muy larga vida

La joven miró con displicencia al campesino y sus humildes vestimentas y no lo tomó muy enserio. La gente que venía del campo solía ser bastante ingenua e inculta. De hecho, le llamaba la atención que el hombre hubiera podido leer el cartel en el escaparate.

—Aquí no contemplamos esa clase de colocación —contestó cortante y apática.

Yoshio parecía contrariado.

—Pero ustedes tienen un cartel en la puerta que dice claramente que buscan empleados para cualquier tarea. ¿O acaso pretenden engañar a sus clientes? — increpó a la joven el campesino con un tono amenazante.

La joven se alarmó ante la reacción de Yoshio. Hacía poco que tenía ese empleo y por nada del mundo quería perderlo. Entonces se le ocurrió una idea y dijo:

—Claro que no, buen hombre. Nadie pretende engañarlo. En todo caso, vuelva usted por aquí mañana y ya veré yo si puedo encontrarle la colocación que usted está buscando.

Diciendo esto, la joven pensaba ganar tiempo hasta que se le ocurriera cómo sacarse de encima a ese pesado cliente. Esa tarde fue a visitar a un tío suyo, que era médico, y le contó lo que había pasado.

—¿De dónde voy a sacar yo a alguien que quiera contratar a este hombre y que pueda enseñarle cómo ser un sennin? – se quejaba la joven.

Mientras servía el té, la tía de la joven escuchaba sus palabras.

—Pues nada más sencillo. Dile que venga a trabajar con nosotros y que nosotros lo convertiremos en un sennin— dijo de pronto.

La joven no podía creer lo que oía.

—¿De verdad, tía? ¡Muchas gracias! No sabía que ustedes sabían de estas cosas, pero la verdad es que me quitan un problema de encima. Mañana mismo lo traigo.

Aliviada, la joven se fue para su casa. Una vez que ella se hubo marchado, el médico enfrentó a su mujer.

—¿Qué has hecho, mujer? Nosotros no tenemos idea de cómo formar a un sennin. ¡Además, no tenemos suficiente dinero para pagar a un sirviente!

—Tú déjamelo a mí y no te preocupes por nada— contestó la mujer.

Al día siguiente, como habían acordado, el campesino volvió por la agencia de colocaciones. Esta vez, en consideración a la ocasión tan importante para él, iba vestido con un haori (4) y un hakama (5) de color negro. La joven le confirmó que le había encontrado el trabajo que buscaba y lo condujo hasta la casa de sus tíos.

Al entrar Yoshio en la casa, el médico y su mujer lo miraron con curiosidad. Su vestimenta les parecía bastante ridícula. La mujer se adelantó.

—Nos han dicho que usted quiere llegar a ser un sennin y que estaría dispuesto a trabajar a cambio de sus lecciones — dijo.

—Así es, señora. Nada hay en el mundo que yo quiera más que ser un sennin —contestó el campesino con ilusión.

—¿Usted estaría dispuesto a hacer cualquier cosa para lograr ser un sennin?

—Claro que sí, señora — replicó entusiasmado Yoshio.

— Muy bien. Entonces, usted comenzará a trabajar en esta casa hoy mismo y trabajará para nosotros durante los próximos veinte años. A pesar de ser nuestro sirviente, no cobrará ni un solo peso. Transcurrido ese tiempo, le develaremos el secreto que lo convertirá en un sennin.

—¡No sé cómo agradecerles! —exclamó el campesino lleno de alegría. Y sin más, comenzó a servir en la casa del médico.

Esa noche, cuando estuvieron solos, el médico recriminó nuevamente a su mujer por lo que había hecho.

4- Haori: chaqueta tradicional japonesa

5- Hakama: pantalón largo con pliegues

—Sabes perfectamente que estás engañando al pobre hombre— dijo.

Pero la mujer volvió a contestarle:

—Tú déjamelo a mí y no te preocupes por nada.

Pasaron los meses y los años. El trabajo era duro. No solamente debía Yoshio ocuparse de los quehaceres de la casa como traer agua del pozo, hachar leña, hacer la compra, cocinar, lavar la ropa, sino que también debía acompañar al médico durante sus visitas por los pueblos cercanos, cargando sobre sus espaldas un armario repleto de sus elementos de trabajo. Pero él nunca se quejaba y parecía feliz de hacer sus tareas.

Finalmente, llegó el día en que se cumplían veinte años de aquel lejano día en que se había presentado en casa del médico. Para la ocasión, volvió a vestirse con su haori y su hakama negros. Así ataviado, se presentó frente a sus patrones.

—Hoy se cumplen veinte años desde que empecé a trabajar en esta casa. Así que, tal como ustedes me habían prometido, deberán revelarme hoy el secreto para convertirme en un sennin.

El médico estaba realmente preocupado.

—¿Qué vamos a hacer ahora, mujer? ¿Qué le vamos a decir a este pobre hombre que se ha roto las espaldas trabajando veinte años de su vida para nosotros? ¿Cómo le diremos que no tenemos ni idea de lo que se necesita para convertirse en un sennin?

Pero la mujer le repitió:

—Tú déjamelo a mí y no te preocupes por nada.

Imperturbable, se dirigió a Yoshio:

—Efectivamente. Ha llegado el día y hoy le revelaré el secreto para lograr ser un sennin. Pero para lograrlo, usted deberá hacer una última prueba.

—Claro que sí señora. ¡Estoy dispuesto!

—Muy bien. ¿Ve usted ese pino tan alto que crece en el medio de nuestro jardín? Comience a trepar por él hasta llegar lo más alto que pueda.

Yoshio comenzó a trepar por el árbol. Trepó unos cuantos metros.

—¡Más alto, más alto! — lo alentaba la mujer.

El campesino trepaba hasta que ya de la casa del médico apenas se veía un pequeño cuadrado de pizarra roja.

—Perfecto —dijo la mujer— Ahora usted debe soltar su mano izquierda.

El campesino se agarró al árbol con su mano izquierda, apretó las piernas contra el tronco y soltó temeroso su mano izquierda.

—Excelente. Ahora, suelte su mano derecha —reclamó la mujer.

El médico estaba desesperado. El hombre caería irremediablemente desde lo alto del pino y se estrellaría contra las rocas del jardín. Cerró los ojos para no verlo.

Yoshio soltó, vacilante, su mano derecha.

El médico anticipaba el ruido del cuerpo chocando con las piedras y el postrero grito final del campesino. Pero los minutos pasaban y no escuchaba ningún ruido.

Con cautela, abrió un ojo y luego el otro. El campesino no había caído. Miró hacia arriba. Allí arriba, recortado contra el azul del cielo, estaba Yoshio flotando en el aire con su haori y su hakama negros flotando al viento.

—¡Muchas gracias! ¡Muchísimas gracias, desde lo hondo de mi corazón! ¡Ustedes, me he convertido en sennin! ¡He podido cumplir mi sueño! — gritó Yoshio desde lo alto.

Dicho esto, se elevó más aún y desapareció detrás de las nubes.

(Adaptación de un cuento de Ryûnosuke Akutagawa)

Las princesas bailarinas

Había una vez un rey que vivía en un lejano país. Era viudo y tenía doce hermosas hijas. Las princesas dormían todas juntas en una gran habitación. Sus lechos, de suaves colchones de plumas, estaban todos alineados contra una de las paredes y, sobre cada uno de ellos, había un dosel de tul rosado bordado con hilos de oro. Todas las noches, al retirarse las princesas a dormir, el rey cerraba la puerta de la habitación con una pesada llave dorada. Todas las mañanas, al abrir la puerta, se asombraba de descubrir que, por algún motivo que él no lograba entender, las suelas de los zapatos de las princesas estaban todos gastados. Todos los días, el rey ordenaba que, en los talleres del palacio, se confeccionaran nuevos zapatos para sus hijas. Sin embargo, cada noche sucedía lo mismo: los zapatos amanecían rotos de tanto ser usados. El rey no podía encontrar una explicación. Entonces, se le ocurrió una idea. Mandó a pregonar por toda la región que el joven que descubriese el motivo podría casarse con la princesa que más le gustase. Sin embargo, había una condición: debía encontrar la solución al cabo de tres días y tres noches. De lo contrario, sería ajusticiado.

Varios jóvenes se presentaron para enfrentar el desafío. Sin embargo, al no poder resolver el misterio, cada uno de ellos fue ejecutado sin piedad al cabo del tiempo estipulado.

Justamente acertó a pasar por el bosque cercano al palacio un soldado que volvía del frente de guerra, adonde había demostrado ser extremadamente valiente salvando en varias ocasiones las vidas de sus compañeros. A la vera de un sendero, se encontró a una anciana, bastante mal vestida, que estaba llorando debajo de un árbol.

—¿Qué te sucede, buena mujer? —preguntó el joven, que siempre había tenido un buen corazón.

—Hace ya días que no pruebo bocado y tengo muchísima hambre.

Sin pensarlo más, el joven abrió su morral y le entregó el pan y el queso que llevaba y que consistían en su única comida.

La mujer sació su hambre.

—¿Tú también has venido a probar suerte con las princesas? —preguntó la anciana.

Pero el joven no sabía de lo que ella estaba hablando porque acababa de llegar de la guerra y no había escuchado los bandos del rey. La anciana lo puso al tanto de todo.

—Has sido muy bueno conmigo. Deja que retribuya tu bondad de alguna manera —dijo.

De entre sus ropas, sacó una vieja capa que, a simple vista, no tenía nada de particular.

—Ve hasta el palacio y diles que tú resolverás el enigma de los zapatos gastados de las princesas. Lo único que tienes que hacer es evitar beber nada de lo que ellas te ofrezcan. Además, lleva contigo esta capa que te será muy útil. Es una capa mágica. Cada vez que te la pongas, serás invisible.

El joven siguió los consejos de la mujer y se dirigió al palacio.

Allí fue recibido por el rey, quien ordenó que le diesen nuevas ropas y que le sirviesen una suculenta cena. Luego, llegó la hora en que todos se retiraban a sus aposentos. Al joven lo colocaron en una pequeña litera en un rincón de la habitación de las princesas, así podría ver qué era lo que realmente sucedía por las noches.

Justo estaba por meterse a la cama cuando se le acercó una de las princesas con una rica taza de chocolate caliente.

—Aquí tienes esta taza de chocolate. Hace bastante frío afuera y te vendrá bien tomarla – le ofreció la muchacha.

El joven le agradeció amablemente. Sin embargo, recordó lo que le había dicho la anciana y, lejos de beberla, cuando las princesas no estaban mirando, arrojó su contenido dentro de una maceta con helechos que había cerca de su litera. Luego, se acostó y simuló estar dormido.

Pasaron algunas horas. De pronto, el joven escuchó que la mayor de las princesas se levantaba de la cama y llamaba una a una a sus hermanas.

— ¡Ya es la hora! ¡Ya es la hora! — les decía.

Luego se acercó hasta la cama donde estaba el joven para comprobar que verdaderamente estuviera dormido. El joven hacía como que roncaba y la princesa se quedó tranquila.

A través de sus párpados entrecerrados, pudo ver cómo las hijas del rey comenzaban a abrir sus arcones y sus armarios y se vestían con elegantes vestidos de fiesta. Los vestidos, que eran cada uno de un color diferente, eran uno más suntuoso que el otro. Las princesas se adornaron con guirnaldas y collares y se calzaron sus zapatos nuevos.

Una vez que estuvieron vestidas, la mayor se dirigió hacia su cama y golpeó tres veces sus palmas. El joven pudo ver cómo la cama se corría hacia un costado, dejando ver una escalera que bajaba hacia el interior de la tierra. Presuroso, cuando vio desaparecer por la abertura a la última de las princesas, se echó encima la capa que le había dado la anciana y las siguió escaleras abajo.

La escalera era bastante larga y se adentraba varios metros por debajo del suelo. En su afán de no perderlas de vista, el joven pisó sin querer el borde del vestido de la menor de las princesas.

—¡Alguien me ha tirado de la falda! —exclamó preocupada la joven.

—Te habrás enganchado con alguna madera rota— dijo la mayor sin darle demasiada importancia a sus palabras.

La escalera desembocaba en un largo pasillo. Al final de ese pasillo había una puerta y, detrás de esa puerta, había un hermoso bosque, en las ramas de cuyos árboles, crecían hojas de plata. El joven atinó a coger una hoja de plata. Pensó que, de esa manera, podría dar una prueba al rey de dónde habían estado sus hijas aquella noche. Ese bosque desembocaba en otro bosque aún más hermoso, en las ramas de cuyos árboles, crecían hojas de oro. El joven también cogió una hoja de oro. Luego, las princesas se adentraron en un tercer bosque todavía más bello que los dos anteriores, en las ramas de cuyos árboles, crecían hojas de piedras preciosas. El joven cogió nuevamente una de ellas.

Luego, llegaron a las orillas de un lago donde había doce botes. Sobre cada uno de los botes, había un apuesto joven. Cada una de las princesas se subió a un bote y los jóvenes comenzaron a remar atravesando el lago. El joven soldado atinó a subirse en el bote de la menor de las princesas. Al hacerlo la barca se sacudió hacia los costados. De pronto, pareció estar bastante más pesada.

—¡Alguien ha agitado nuestro bote! — exclamó preocupada la princesa.

—Habrá sido una corriente de agua— comentó su joven compañero y, sin pensar más en ello, siguió remando.

Del otro lado del lago, había un magnífico palacio. Dentro del palacio, había un salón de baile decorado con espectaculares columnas de mármol, colosales cuadros, brillantes espejos y estatuas de bronce portando resplandecientes candelabros. En una esquina del salón, una orquesta de cincuenta músicos tocaba sin cesar los valses más hermosos. Allí, las princesas y sus acompañantes se encontraron con otros jóvenes, al igual que ellos, ricamente ataviados. Una veintena de camareros, vestidos con libreas, servían constantemente bebidas y canapés a todos los presentes. Las muchachas bailaban con exquisita gracia y elegancia. La más joven, sobre todo, era tan delicada que sus pequeños pies parecían no tocar el suelo mientras se desplazaba de una punta a la otra del salón. El baile de las princesas duró hasta entrada la madrugada. Llegó, entonces, la hora de marcharse. Las muchachas volvieron a subirse en los botes junto con los jóvenes que las dejaron nuevamente en la orilla del lago. El soldado volvió a saltar arriba de uno de los botes. Luego, las muchachas cruzaron el bosque de hojas de piedras preciosas, el bosque de hojas de oro y el bosque de hojas de plata. Las jóvenes atravesaron el pasillo y subieron la escalera. El soldado tuvo buen cuidado de adelantarse a ellas y, quitándose la capa, regresó a su litera y simuló nuevamente estar dormido. Una vez en la habitación, las jóvenes se desvistieron y se metieron en sus camas como si nada hubiera pasado. La única prueba de lo que había acontecido era que las suelas de los zapatos de todas ellas estaban completamente gastadas.

Por la mañana, el soldado decidió todavía no decir nada y ver qué sucedía esa siguiente noche. El día transcurrió sin novedades y, al irse a dormir, una de las princesas vino a ofrecerle una tisana de manzanilla.

—La cena ha sido muy abundante y esta tisana sin duda te vendrá muy bien— le ofreció la joven.

El soldado le agradeció mucho y nuevamente esperó a que nadie lo estuviera mirando para verter la tisana en la maceta de helechos.

Por la noche, la historia volvió a repetirse. Unas horas después de acostadas, la mayor de las princesas llamó a sus hermanas y todas comenzaron a vestirse para ir a la fiesta. Esta vez, llevaban vestidos más lujosos todavía que la noche anterior y calzaban los nuevos zapatos que les habían traído desde el taller del palacio. Luego de comprobar que el soldado seguía aparentemente dormido, la princesa mayor golpeó tres veces sus palmas y se abrió el agujero del suelo, dejando ver la escalera. El soldado se cubrió con la capa y siguió a las princesas. Al igual que la noche anterior, pasaron por los tres bosques encantados, cruzaron el lago en los botes y se dedicaron a bailar durante toda la noche hasta entrada la madrugada. Esta vez, el soldado decidió coger, también como prueba para presentarle al rey, una de las copas de oro en las que todos bebían finos licores. Luego de cruzar el lago y los bosques, las princesas volvieron a sus camas. El soldado, que se les había adelantado, simuló seguir durmiendo.

Esa segunda mañana, también decidió no decir nada todavía. Quería ver lo que pasaba la tercera noche. Esta vez las cosas se repitieron también de la misma manera. Por la noche, una de las princesas vino a ofrecerle al soldado una taza con una infusión y, nuevamente, él la arrojó a la maceta. Siguiendo el habitual recorrido, las princesas llegaron al salón de baile sin sospechar que eran seguidas por el soldado. Esta vez, el joven cogió una servilleta de seda del salón de baile para presentarle al rey como prueba.

Al llegar la mañana, el rey hizo llamar al soldado muy temprano por la mañana y lo convocó al salón de las audiencias.

—Dime soldado, ¿has podido averiguar cómo es que los zapatos de mis hijas amanecen siempre con sus suelas gastadas?

Entonces, el joven le contó al rey todo lo que había pasado durante las tres noches y como prueba le presentó la hoja de plata, la hoja de oro, la hoja de piedras preciosas, la copa de oro y la servilleta de seda.

—¿Es cierto lo que dice este soldado?— preguntó el rey a sus hijas.

Ante la evidencia, ellas no pudieron negarlo y aceptaron que el soldado había logrado averiguar su secreto.

El rey entonces le dijo al joven que, tal como lo había prometido, él podría elegir una de las princesas y casarse con ella. Él eligió a la más joven, que se llamaba Olivia y que era la más bella de todas. La boda se celebró con grandes festejos.

Las princesas no estaban muy contentas de que su secreto se hubiera revelado y se llevaron una buena reprimenda de su padre. Pero Olivia y el soldado vivieron felices el resto de sus días.

El pájaro de oro

Había una vez un mercader que conservaba un hermoso pájaro de oro en una jaula, en el salón de su casa. Él le había comprado esta maravillosa ave a otro mercader que venía desde la lejana China, viajando a través de la ruta de la Seda.

Un día, cuestiones de negocios motivaron que el mercader dueño del pájaro tuviese que viajar él mismo hasta la China. Así que le preguntó al ave de oro si quería que le trajera algo de allí.

—Lo único que ansío, amo, es mi libertad— contestó el pájaro.

Pero el mercader no estaba dispuesto a dejarlo ir.

—Entonces, sí puedes hacer algo por mí — pidió el ave.

Le indicó al mercader que, cuando estuviera en la China, visitara el bosque de los montes de Tian-shan, y que les comunicara a los pájaros que allí habitaban que él había sido hecho prisionero.

El mercader cumplió los deseos del pájaro. Cuando hubo terminado sus negocios, se dirigió hacia los montes de Tian-shan, se paró en el centro de un bosque y comenzó a contarles a los pájaros, que lo observaban desde las ramas de los árboles, cómo el pájaro de oro permanecía prisionero en una jaula, en su casa.

Apenas acababa de decir esto cuando uno de los pájaros, muy parecido al que él poseía, cayó de la rama en la que se encontraba y se desplomó sin sentido en el suelo.

El mercader sintió culpa. Pensó que sin duda se trataría de algún pariente de su pájaro, al que la mala noticia le había provocado la muerte.

Una vez retornado al hogar, el pájaro de oro le preguntó ansioso:

—¿Cómo te ha ido en tu viaje? ¿Has tenido ocasión de visitar a los pájaros de Tian-shan?

El mercader, compungido, le contestó:

—Me temo que te traigo malas noticias— le dijo al pájaro, y le contó lo que había sucedido.

Tan pronto hubo escuchado esto, el pájaro de oro se desplomó sin sentido en el suelo de su jaula.

El mercader se sintió de nuevo terriblemente mal, pensando que las malas noticias de la muerte de su pariente habían causado también el fallecimiento de su hermoso pájaro. Con mucha tristeza, lo cogió entre sus manos cuidadosamente y lo colocó en el alféizar de la ventana del salón, pensando enterrarlo luego en el jardín.

Pero apenas hizo esto, el pájaro revivió y, volando en libertad, se perdió para siempre en el cielo.

Si te ha gustado este libro te agradeceríamos mucho que nos dejes un comentario, ya sea en Amazon o en nuestra propia web. Tus opiniones nos ayudarán a realizar mejores libros.

Made in the USA
Middletown, DE
03 October 2022

11816198R00071